TERRY

Le plus grand humo[...]

Wodehouse est un auteur de fantasy : est-ce l'effet du hasard ? Terry Pratchett est né en 1948 dans le Buckinghamshire ; nous n'en savons pas davantage. Son hobby, prétendait-il, était la culture des plantes carnivores. Que dire encore de son programme politique ? Il s'était engagé sur un point crucial : augmenter le nombre des orangs-outans à la surface du globe, et les grands équilibres seraient restaurés. Sa vocation fut précoce : il publia sa première nouvelle en 1963 et son premier roman en 1971. D'emblée, il s'affirma comme un grand parodiste : *La Face obscure du soleil* (1976) tourne en dérision *L'Univers connu* de Larry Niven ; *Strate-à-gemmes* (1981) ridiculise une fois de plus la hard SF en partant de l'idée que la Terre est effectivement plate. Mais le grand tournant est pris en 1983. Pratchett publie alors le premier roman de la série du Disque-Monde, brillant pastiche héroï-comique de Tolkien et de ses imitateurs. Traduites dans plus de 30 langues, *Les Annales du Disque-Monde* ont donné lieu à nombre de produits dérivés ainsi qu'à des adaptations télévisées. Terry Pratchett a également coécrit une série avec Stephen Baxter, composée de *La Longue Terre* (2013), *La Longue Guerre* (2014), *La Longue Mars* (2015) et *La Longue Utopie* (2016), publiée aux Éditions de L'Atalante. Terry Pratchett est décédé en mars 2015.

Retrouvez le site consacré à l'auteur sur :
www.terrypratchett.co.uk

LA HUITIÈME COULEUR

DU MÊME AUTEUR
CHEZ POCKET

LES ANNALES DU DISQUE-MONDE

IMAGINAIRE
Collection dirigée par Stéphane Desa

TERRY PRATCHETT

LES ANNALES DU DISQUE-MONDE

LA HUITIÈME
COULEUR

*Traduit de l'anglais
par Patrick Couton*

L'ATALANTE

Titre original :
THE COLOUR OF MAGIC
1re publication : Colin Smythe Ltd. G.-B.

Patrick Couton a obtenu le Grand Prix de l'Imaginaire 1998 pour
l'ensemble de ses tradutions des *Annales du Disque-Monde*.

Pocket, une marque d'Univers Poche,
est un éditeur qui s'engage pour la préservation
de son environnement et qui utilise du papier fabriqué
à partir de bois provenant de forêts gérées
de manière responsable.

© Terry Pratchett, 1983.
© Librairie l'Atalante, 1996,
pour la présente traduction française.
ISBN : 978-2-266-21181-9

PROLOGUE

Dans un ensemble lointain de dimensions récupérées à la casse, dans un plan astral nullement conçu pour planer, les tourbillons de brumes stellaires frémissent et s'écartent…

Voyez…

La tortue la Grande A'Tuin apparaît, elle fend d'une brasse paresseuse l'abîme interstellaire, ses membres pesants recouverts d'un givre d'hydrogène, son antique et immense carapace criblée de cratères météoritiques. De ses yeux vastes comme des océans, encroûtés de chassie et de poussière d'astéroïdes, elle fixe le But Ultime.

Dans son cerveau plus grand qu'une ville, avec une lenteur géologique, elle ne songe qu'au Fardeau.

Une bonne partie du fardeau est évidemment due à Bérilia, Tubul, Ti-Phon l'Immense et Jérakine, les quatre éléphants géants dont les larges épaules bronzées par les étoiles soutiennent le disque du Monde que la longue cataracte enguirlande sur son vaste pourtour et que surplombe le dôme bleu layette des Cieux.

L'astropsychologie n'est toujours pas parvenue à établir à quoi ils pensent.

L'existence de la Grande Tortue restait du domaine

de l'hypothèse jusqu'au jour où Krull, un petit royaume cachottier dont les montagnes les plus proches du Bord saillent au-dessus de la Grande Cataracte, conçut un système de portique et de poulie à la pointe de son rocher le plus à pic et fit descendre plusieurs observateurs par-dessus le Rebord dans un vaisseau de cuivre aux hublots de quartz afin qu'ils regardent par-delà les voiles de brume.

Une fois remontés au bout de leur long pendoir par d'immenses équipes d'esclaves, les premiers astrozoologistes furent en mesure de fournir maints renseignements sur la conformation et la nature d'A'Tuin et des éléphants, mais qui ne répondaient pourtant pas aux interrogations fondamentales sur la nature et le but de l'Univers.

Par exemple, quel était le sexe d'A'Tuin ? Cette question vitale, affirmaient les zoologistes avec une autorité croissante, resterait sans réponse tant qu'on n'aurait pas construit un portique plus grand et plus puissant permettant de lâcher un vaisseau dans l'espace profond. En attendant, ils ne pouvaient qu'émettre des conjectures sur le cosmos révélé.

Par exemple, une théorie avançait qu'A'Tuin venait de nulle part pour se rendre nulle part, indéfiniment, d'une brasse uniforme, ou reptation continue. Une théorie populaire chez les universitaires.

Une autre, qui avait la faveur de la religion, voulait qu'A'Tuin se déplace de Son Lieu de Naissance vers l'Heure du Frai, à l'image de toutes les étoiles du ciel, elles aussi manifestement transportées à dos de tortues géantes. À l'arrivée, elles s'accoupleraient dans une étreinte brève et passionnée, une seule et unique fois, et de cette union fougueuse naîtraient de nouvelles tortues qui véhiculeraient une nouvelle série de mondes. On connaissait cette hypothèse sous le nom de théorie du Big Bang, ou de la Grande Secousse.

Voilà comment un jeune cosmochélonologiste de la faction de la Reptation Continue, alors qu'il testait un nouveau télescope grâce auquel il espérait mesurer l'albédo précis de l'œil droit de la Grande A'Tuin, fut en cette soirée mémorable le premier observateur extérieur à voir, dans la direction du Moyeu, s'élever la fumée de l'embrasement qui ravageait la plus ancienne cité du monde.

Plus tard le même soir, absorbé par ses études, il avait déjà tout oublié de l'événement. Ce fut pourtant lui le premier.

Il y en eut d'autres...

PREMIÈRE PARTIE

COULEUR DE MAGIE

L'incendie grondait dans la cité géminée d'Ankh-Morpork. Lorsqu'il lécha le quartier des Mages il flamboya dans les tons bleus et verts parfois émaillés des lueurs étranges de la huitième couleur, l'octarine ; lorsque ses flammes de tête s'infiltrèrent dans les cuves et dans les réserves d'huile le long de la rue des Marchands, il progressa par une succession d'explosions et de fontaines ardentes ; dans les rues des parfumeurs il dégagea une odeur suave ; lorsqu'il s'en prit aux bottes d'herbes sèches et rares emmagasinées chez les maîtres apothicaires, il fit perdre la raison à la population qui se mit à parler avec Dieu.

Tout le centre de Morpork était désormais livré aux flammes, et les citoyens plus riches et plus honorables d'Ankh, sur la rive d'en face, affrontaient bravement la situation en démolissant frénétiquement les ponts. Mais déjà, à Morpork, les bateaux à quai – chargés de grain, de coton, de bois d'œuvre et calfatés au goudron – flambaient joyeusement puis, leurs amarres réduites en cendres, fendaient le fleuve Ankh avec la marée descendante et dérivaient vers la mer telles des lucioles en train de se noyer, mettant au passage le feu aux palais et pavillons riverains. N'importe comment, des étincelles poussées par le vent atterrissaient loin sur l'autre rive dans des jardins retirés ou des cours de fermes reculées.

La fumée du feu de joie s'élevait à des kilomètres de hauteur, en une colonne noire sculptée par le vent, visible de partout sur le Disque-Monde.

Il faisait sûrement grosse impression depuis le sommet d'une colline fraîche et sombre, distante de quelques lieues, où deux silhouettes regardaient le spectacle avec grand intérêt.

La plus grande mâchonnait une cuisse de poulet, appuyée sur une épée à peine plus courte qu'un homme de taille normale. Sans l'impression d'intelligence méfiante que dégageait l'individu, on aurait pu le prendre pour un barbare des terres désolées du Moyeu.

Son compère, beaucoup plus petit, était enveloppé de la tête aux pieds dans une cape brune. Plus loin, quand l'occasion se présentera, on constatera qu'il se déplace avec une légèreté toute féline.

Le tandem n'avait guère échangé plus d'une parole au cours des vingt dernières minutes, à l'exception d'une discussion brève et non aboutie sur l'origine d'une explosion particulièrement violente que l'un attribuait à l'entrepôt des huiles et l'autre à l'atelier de l'enchanteur Kerible. Il y avait de l'argent en jeu.

Le plus grand finit de ronger son os et le jeta dans l'herbe avec un sourire triste. « Toutes ces petites ruelles qui partent en fumée… dit-il. Je les aimais bien, moi.

— Toutes ces maisons pleines de trésors », fit le petit. Il ajouta d'un air songeur : « Je me demande si ça brûle, les pierres précieuses. Paraît que ça ressemble au charbon.

— Tout cet or qui fond et qui dégouline dans les caniveaux, reprit le grand en l'ignorant. Et tout ce vin qui bout dans les fûts.

— Il y avait des rats, remarqua son compagnon en cape brune.

— Il y avait des rats, c'est vrai.

— Faisait pas bon y rester en plein été.

— C'est vrai aussi. Quand même, on ne peut pas s'empêcher de ressentir un… enfin, un petit… »

Sa voix mourut, puis sa figure s'illumina. « On devait huit pièces d'argent au vieux Fredor, à la Sangsue Écarlate », ajouta-t-il. Le plus petit opina.

Ils restèrent un moment silencieux tandis qu'une nouvelle série d'explosions traçait une ligne rouge dans un quartier jusque-là obscur de la plus grande cité du monde. Puis le plus grand bougea.

« Fouine ?

— Oui ?

— Je me demande qui a allumé tout ça ? »

Le petit spadassin connu sous le nom de la Fouine ne répondit pas. Il observait la route dans la lumière rougeoyante. Peu de gens l'empruntaient depuis que la porte de Déosil s'était écroulée, parmi les premières, dans une pluie de braises chauffées à blanc.

Mais maintenant deux cavaliers la remontaient. Les yeux de la Fouine, toujours plus perçants dans l'obscurité et le demi-jour, distinguèrent les silhouettes de deux hommes à cheval suivis d'une espèce d'animal court sur pattes. Sûrement un riche marchand qui prenait la fuite avec toutes les richesses que ses mains fébriles avaient pu rafler. Voilà ce que la Fouine dit à son compagnon, lequel soupira.

« Le statut de voleurs de grand chemin nous va mal,

fit le barbare, mais comme tu dis, les temps sont durs et aucun lit douillet ne nous attend ce soir. »

Il changea sa prise sur l'épée et, alors que le cavalier de tête se rapprochait, s'avança sur la route, la main levée et la figure fendue d'un sourire soigneusement calculé pour rassurer et menacer à la fois.

« Pardonnez-moi, monsieur… » commença-t-il.

Le cavalier tira sur les rênes de sa monture et repoussa son capuchon. Le grand malandrin vit un visage marbré de brûlures superficielles et ponctué de touffes de poils roussis, restes d'une barbe. Même les sourcils avaient disparu.

« Fous le camp, lâcha le visage. T'es Bravd l'Axlandais[1], c'est ça ? »

---

1. Le moment est peut-être venu de s'intéresser à la forme et à la cosmologie du système du Disque.

Il existe bien entendu deux directions principales sur le Disque : vers le Moyeu et vers le Bord. Mais comme le Disque effectue une rotation sur lui-même tous les huit cents jours (afin de répartir son poids équitablement sur le dos des pachydermes qui le supportent, selon le Réforgule de Krull), il s'y ajoute deux autres directions secondaires : le sens direct et le sens rétrograde.

Vu que le minuscule soleil en orbite conserve une course fixe tandis que le Disque majestueux tourne lentement en dessous, on en déduira sans peine qu'une année discale ne compte pas quatre mais huit saisons. En été, le soleil se lève et se couche au plus près du Bord, et en hiver en un point à quatre-vingt-dix degrés environ sur la circonférence.

Ainsi, dans les pays qui entourent la mer Circulaire, l'année commence par la Nuit des Porchers, se poursuit par le printemps prime jusqu'au premier solstice d'été (la veille des Petits Dieux), auquel succède l'automne prime et, à cheval sur le point médian de l'année (la Nuit Cruelle), l'hiver seconde (également connu sous le nom d'hiver d'axe, puisqu'à cette époque le soleil se lève dans le sens de la rotation). Puis vient le printemps seconde, talonné par l'été deuxième, et les trois quarts de l'année sont atteints à la Nuit de la

Bravd eut conscience d'avoir bêtement perdu l'initiative.

« Va-t-en, tu veux ? fit le cavalier. Je n'ai pas le temps, vu ? »

Il jeta un coup d'œil à la ronde et ajouta : « Et c'est valable aussi pour ton acolyte pouilleux qui se fourre tout le temps dans les coins d'ombre et qui se cache sûrement quelque part. »

La Fouine surgit près du cheval et regarda attentivement la silhouette débraillée. « Eh, c'est Rincevent le mage, non ? lança-t-il d'un ton ravi tout en archivant dans sa mémoire la description que l'homme venait de faire de lui, en vue d'une vengeance à déguster froide. Il me semblait bien avoir reconnu la voix. »

Bravd cracha par terre et rengaina son épée. Ça ne valait presque jamais le coup de se colleter avec les mages, ils se promenaient rarement avec des richesses dignes de ce nom.

« Il fait drôlement le malin pour un mage traîne-ruisseau, marmonna-t-il.

— Vous n'y êtes pas du tout, fit le mage d'une

Toute-Fin – la seule, selon la légende, où les sorcières et les ensorceleurs restent au lit. Puis les feuilles mortes et les gelées nocturnes s'acheminent vers l'hiver de contraxe et vers une nouvelle Nuit des Porchers nichée en son cœur tel un joyau de glace.

Comme le soleil faible ne réchauffe jamais de près le Moyeu, les terres centrales restent gelées en permanence. Le Bord, en revanche, est une région d'îles ensoleillées et de douceur de vivre.

La semaine discale compte évidemment huit jours et le spectre solaire huit couleurs. Huit est un chiffre d'une portée occulte considérable sur le Disque, et un mage ne doit jamais, au grand jamais, le prononcer.

La raison d'être de ce qui précède demeure obscure mais explique en partie pourquoi, sur le Disque, on est moins porté à adorer les dieux qu'à les maudire.

voix lasse. Vous me flanquez tellement la frousse que j'ai l'épine dorsale comme de la gelée ; je souffre en ce moment d'un excès de terreur. Mais si vous me laissez le temps de récupérer, je vous offrirai une peur plus à propos. »

La Fouine montra du doigt la ville en flammes.

« T'es passé là-dedans ? » demanda-t-il.

Le mage se frotta les yeux d'une main à vif toute rouge. « J'y étais quand le feu s'est déclaré. Vous le voyez, lui ? Là-bas ? » Il désigna dans son dos, plus loin sur la route, son compagnon de voyage qui se rapprochait en dépit d'un style de monte qui lui imposait de vider les arçons toutes les cinq secondes.

« Et alors ? fit la Fouine.

— C'est lui le responsable », répondit simplement Rincevent.

Bravd et la Fouine observèrent la silhouette qui sautillait maintenant sur la route à cloche-pied, l'autre pied dans un étrier.

« Incendiaire, hein ? lâcha enfin Bravd.

— Non, répondit Rincevent. Pas précisément. Disons seulement que si le chaos absolu se traduisait par la foudre, ce gars-là serait du genre à rester debout en haut d'une colline, en armure de cuivre mouillée, et à brailler : « Tous les dieux sont des salauds. » Vous avez à manger ?

— On a du poulet, dit la Fouine. En échange d'une histoire.

— Comment il s'appelle ? voulut savoir Bravd qui avait tendance à prendre du retard dans les conversations.

— Deuxfleurs.

— Deuxfleurs ? répéta Bravd. Drôle de nom.

— S'il n'y avait que ça, fit le mage en mettant pied à terre. Du poulet, tu dis ?

— À la diable », précisa la Fouine. Rincevent gémit.

« J'y pense, reprit la Fouine en claquant des doigts, on a entendu une très grosse explosion il y a… oh, à peu près une demi-heure…

— C'était l'entrepôt des huiles qui sautait », expliqua Rincevent qui grimaça au souvenir de la pluie ardente.

La Fouine se retourna et sourit, l'air d'attendre, à l'adresse de son compagnon qui grogna et lui tendit une pièce tirée de sa bourse. Puis un cri s'éleva sur la route avant de s'interrompre soudain. Rincevent ne leva pas les yeux de son poulet.

« Entre autres choses, il ne sait pas monter à cheval », dit-il. Puis il se raidit comme assommé par un souvenir brutal, lâcha un glapissement bref de terreur et se précipita dans l'obscurité. Lorsqu'il revint, le dénommé Deuxfleurs lui pendait mollement sur l'épaule. Petit et malingre, il était très curieusement vêtu d'une culotte coupée aux genoux et d'une chemise aux couleurs si violemment incompatibles que l'œil délicat de la Fouine s'en offusqua, même dans la pénombre.

« Rien de cassé, à première vue », dit Rincevent. Il soufflait comme un bœuf. Bravd lança un clin d'œil à la Fouine et voulut aller étudier de plus près la forme qu'ils prenaient pour un animal de bât.

« Tu ferais mieux de laisser tomber, dit le mage sans interrompre son examen de Deuxfleurs inconscient. Crois-moi. Un pouvoir le protège.

— Un sortilège ? demanda la Fouine en s'accroupissant.

— No-on. Mais une espèce de magie, d'après moi. Pas du type habituel. Je veux dire, c'est une magie qui peut changer l'or en cuivre mais en même temps ça reste de l'or, qui enrichit les gens en détruisant leurs biens, qui permet au faible de marcher sans crainte au milieu des voleurs, qui passe à travers les portes les plus solides pour soutirer les trésors les mieux gardés. Elle me tient en ce moment – je suis obligé de suivre ce fou bon gré mal gré et d'éviter qu'on lui fasse du mal. Elle est plus forte que toi, Bravd. Elle est même, à mon avis, plus rusée que toi, la Fouine.

— Tu l'appelles comment, alors, cette puissante magie ? »

Rincevent haussa les épaules. « Dans notre langue, ça donne : *son-réfléchi-d'esprits-souterrains*. Vous avez du vin ?

— Tu sais sûrement que je me défends plutôt bien question magie, dit la Fouine. Pas plus tard que l'année dernière, assisté de mon ami que tu vois là, j'ai soulagé l'archimage d'Ymitury, connu pour son pouvoir, de son bourdon, de sa ceinture de pierres de lune et de sa vie, à peu près dans cet ordre. Ça ne me fait pas peur, ton *son-réfléchi-d'esprits-souterrains*. Malgré tout, ajouta-t-il, tu éveilles ma curiosité. Et si tu m'en disais plus ? »

Bravd regarda la forme sur la route. Elle s'était rapprochée et il la vit plus distinctement dans la lumière d'avant l'aube. Il aurait juré que c'était…

« … un coffre sur pattes ? fit-il.

— Je vais vous expliquer, dit Rincevent. Si j'ai du vin, s'entend. »

De la vallée monta un grondement suivi d'un chuintement. Un citoyen plus avisé que les autres avait ordonné la fermeture des grandes écluses de l'Ankh à la sortie de la cité double. Privé de son issue habituelle, le fleuve avait débordé de son lit et déferlait dans les rues embrasées. Bientôt, le continent de feu se réduisit à un chapelet d'îlots dont chacun rapetissa à mesure que progressait la marée sombre. Et de la cité de fumées et d'émanations s'éleva un nuage de vapeur brûlante qui masqua les étoiles.

La Fouine se dit qu'il ressemblait à une espèce de champignon noir.

La cité double d'Ankh la fière et de Morpork la putride, dont toutes les autres villes du temps et de l'espace ne sont, comme qui dirait, que de vulgaires reflets, a subi nombre d'assauts au cours de son histoire à la fois longue et mouvementée, et elle s'est toujours relevée pour reprendre son essor. Aussi, l'incendie – et son inondation subséquente, laquelle détruisit tout ce qui n'était pas inflammable et ajouta à la liste des soucis des survivants une diarrhée particulièrement nauséabonde –, l'incendie, donc, n'en marqua pas la fin. Il fut plutôt comme une ponctuation embrasée, une virgule de charbon ardent, ou un point-virgule salamandre, dans une histoire ininterrompue.

Quelques jours avant ces événements, un bateau remontait l'Ankh avec la marée de l'aube et venait s'amarrer, parmi beaucoup d'autres, dans le dédale de pontons et de quais qui encombraient la rive de Morpork. Il transportait une cargaison de perles roses, de cerneaux galactophores et de pierre ponce, quelques lettres officielles pour le Patricien d'Ankh et un passager.

C'est le passager qui avait attiré l'attention de Colinmaille l'Aveugle, un des mendiants du service du matin sur le quai des Perles. Il donna un coup de coude dans les côtes de Wa l'Eclopé et pointa le doigt sans un mot.

L'étranger se tenait à présent sur le quai et regardait sur la passerelle plusieurs matelots qui s'échinaient à descendre un gros coffre cerclé de cuivre. Un autre homme, visiblement le capitaine, était à côté de lui. Le marin donnait l'impression – chaque fibre nerveuse du corps de Colinmaille l'Aveugle lui hurlait l'information dans le cerveau, des fibres que même une toute petite quantité d'or impur faisait vibrer à cinquante pas –, l'impression d'un veinard qui s'attend à un enrichissement imminent.

De fait, une fois le coffre déposé sur les pavés, l'étranger plongea la main dans une bourse, et une pièce étincela. Plusieurs pièces. De l'or. Colinmaille l'Aveugle, le corps parcouru de vibrations comme une baguette de coudrier en présence d'eau, siffla tout bas. Puis il flanqua un autre coup de coude à Wa qui comprit et détala par une ruelle voisine vers le cœur de la ville.

Lorsque le capitaine remonta à bord, abandonnant le nouvel arrivant vaguement désemparé sur le quai, Colinmaille l'Aveugle rafla sa sébile et traversa la rue, l'air patelin mais l'œil avide. À sa vue, l'étranger se mit à farfouiller fébrilement dans sa bourse.

« Bien le bonjour, monseigneur », commença Colinmaille l'Aveugle qui leva la tête et se retrouva nez à nez avec quatre yeux. Il se retourna pour s'enfuir.

« ! » fit l'étranger en lui attrapant le bras. Colinmaille avait conscience que les matelots accoudés au bastingage se moquaient de lui. En même temps, ses sens hautement spécialisés détectaient une fragrance étouffante d'argent. Il se figea. L'étranger le lâcha et feuilleta rapidement un petit livre noir qu'il avait tiré de sa ceinture. Puis il prononça : « Banjour.

— Quoi ? » fit Colinmaille. L'homme parut dérouté.

« Banjour ? répéta-t-il, plus fort que nécessaire et avec tant d'application que le mendiant entendit cliqueter les voyelles qui tombaient en place.

— Banjour toi-même », riposta Colinmaille.

L'étranger se fendit d'un grand sourire et farfouilla encore dans sa bourse. Cette fois, sa main ressortit une grosse pièce d'or. Elle était en fait légèrement plus large qu'une couronne ankhienne de huit mille piastres, et le motif qui l'ornait ne disait rien à Colinmaille qui comprit pourtant clairement son message, à savoir : Mon propriétaire actuel a besoin de secours et d'assistance, alors pourquoi ne pas les lui fournir, comme ça vous et moi, on pourra aller se donner du bon temps quelque part ensemble ?

De subtiles modifications dans l'attitude du mendiant mirent l'étranger plus à l'aise. Il consulta une nouvelle fois son opuscule.

« Je voudrais qu'on m'indique le chemin d'un hôtel, une taverne, une pension, une auberge, un hospice, un caravansérail, dit-il.

— Quoi, tous ?

— ? » fit l'étranger.

Colinmaille s'aperçut qu'un petit attroupement de poissonnières, de ramasseurs de coquillages et de gobemouches professionnels les observaient avec intérêt.

« Écoutez, dit-il. Je connais une bonne taverne. Ça ira ? » Il frémit à l'idée que la pièce d'or puisse lui échapper. Celle-là, il la garderait, même si Ymor confisquait tout le reste. Et le gros coffre qui composait l'essentiel des bagages du nouveau venu était sûrement plein d'or.

L'homme aux quatre yeux consulta son livre.

« Je voudrais qu'on m'indique le chemin d'un hôtel, un lieu de repos, une taverne, un…

— Oui, d'accord. Alors venez », s'empressa de répondre Colinmaille. Il ramassa un des ballots et s'en alla d'un pas vif. L'étranger, après un instant d'hésitation, lui emboîta le pas sans se presser.

Le cours des pensées du mendiant suivit une dérivation dans ses méninges. Réussir à emmener si facilement le nouveau venu au Tambour Crevé, ça, c'était un coup de veine, pas de doute, et Ymor le récompenserait sûrement. Mais sa nouvelle relation, malgré sa docilité, avait un il ne savait quoi qui mettait mal à l'aise. Ce n'étaient pas les deux yeux en trop, pourtant bizarres. Il y avait autre chose. Il jeta un coup d'œil dans son dos.

Le petit homme marchait tranquillement au milieu de la rue et regardait autour de lui, l'air vivement intéressé.

Il y avait effectivement autre chose qu'aperçut Colinmaille ; il faillit en bredouiller d'émotion.

Le gros coffre de bois qui, la dernière fois qu'il l'avait vu, reposait lourdement sur le quai, suivait maintenant son maître d'une démarche vaguement chaloupée. Tout doucement, des fois qu'un mouvement brusque de sa part briserait le contrôle chancelant qu'il exerçait sur ses jambes, Colinmaille se pencha légèrement afin de regarder sous le coffre.

Il y vit des tas et des tas de petites jambes.

Très posément, Colinmaille se retourna et repartit d'un pas extrêmement prudent vers le Tambour Crevé.

« Bizarre, fit Ymor.

— Il avait un gros coffre de bois, ajouta Wa l'Éclopé.

— C'est sûrement un marchand ou un espion », conclut Ymor. Il arracha un bout de viande à la côtelette qu'il tenait en main et le jeta en l'air. Le morceau n'avait pas atteint le zénith de sa trajectoire qu'une forme noire se détacha de l'ombre, dans un angle de la salle, et plongea dessus pour le saisir au vol.

« Un marchand ou un espion, répéta Ymor. Moi, je préférerais un espion. Un espion, ça rapporte deux fois, parce qu'on touche toujours la récompense quand on le livre. T'en penses quoi, Withel ? »

En face d'Ymor, le deuxième plus grand voleur d'Ankh-Morpork ferma à demi son œil unique et haussa les épaules.

« Je me suis renseigné sur le bateau, dit-il. C'est un navire de commerce indépendant. Il se rend de temps en temps aux îles Brunes. De vrais sauvages, là-bas. Les espions, ils ne savent pas ce que c'est, et d'après moi, les marchands, ils les mangent.

— Il avait un peu l'air d'un marchand, hasarda Wa. Sauf qu'il n'était pas gros. »

Il y eut un battement d'ailes à la fenêtre. Ymor extirpa sa masse du fauteuil, traversa la pièce et revint avec un grand corbeau. Après qu'on lui eut détaché de la patte la capsule à message, l'oiseau s'envola pour rejoindre ses congénères tapis parmi les poutres. Withel le regarda sans sympathie. Les corbeaux d'Ymor restaient loyaux envers leur maître, tout le monde le savait, au point que l'unique tentative de Withel pour se hisser au rang de premier voleur d'Ankh-Morpork avait coûté l'œil gauche au bras droit de leur seigneur. Mais pas sa vie, pourtant. Ymor respectait l'ambition.

« B 12, lut Ymor après avoir jeté le petit étui et déplié le petit rouleau à l'intérieur.

— Gorrin le Chat, traduisit machinalement Withel. En faction dans la tour du gong au temple des Petits Dieux.

— Il dit que Colinmaille a emmené notre étranger au Tambour Crevé. Pas mal, comme idée. Dularge est… un ami à nous, non ?

— Ouais, fit Withel. Quand il sait ce qui fait marcher le commerce.

— Ton Gorrin, là, il a dû être client chez lui, reprit Ymor sur le ton de la plaisanterie, parce qu'il parle d'un bagage à pattes, si je déchiffre bien son gribouillage. » Il regarda Withel par-dessus le papier.

Withel détourna les yeux. « Il sera puni », dit-il tout net. Wa considéra l'homme dont le corps tout de noir vêtu et renversé dans son fauteuil avait la nonchalance d'un puma étendu sur une branche dans la jungle des Terres du Bord, et il se dit que le Gorrin, du haut du temple des Petits Dieux, allait bientôt rejoindre ces petites divinités qui peuplaient les nombreuses dimensions de l'Au-delà. Et il lui devait trois pièces de cuivre, le Gorrin.

Ymor froissa le billet et le jeta dans un coin. « Je crois qu'on ira faire un tour au Tambour Crevé tout à l'heure, Withel. On pourra peut-être aussi goûter à cette bière qui plaît tellement à tes hommes. »

Withel ne répondit rien. Être le bras droit d'Ymor, c'était comme mourir flagellé en douceur à coups de lacets de chaussure parfumés.

La cité double d'Ankh-Morpork, la plus importante de toutes les villes riveraines de la mer Circulaire, abritait comme de juste un grand nombre de bandes de malfaiteurs, de guildes de voleurs, de syndicats et autres organisations de ce genre. Ce qui expliquait en partie sa prospérité. La plupart des petites gens domiciliées sur la rive rétrograde du fleuve, dans le dédale des ruelles de Morpork, arrondissaient leurs maigres revenus en effectuant quelques menues tâches pour l'un ou l'autre des clans rivaux. Ainsi, à la minute où Colinmaille et Deuxfleurs pénétraient dans la cour du Tambour Crevé, la plupart des chefs de bandes étaient déjà informés de l'arrivée en ville d'un individu apparemment plein aux as. Certains rapports des mouchards les plus observateurs faisaient état d'un livre qui indiquait à l'étranger ce qu'il devait dire et d'un coffre qui marchait tout seul. Des détails dont personne ne daigna tenir compte. Aucun magicien capable de tels enchantements ne se risquait jamais à moins d'un kilomètre des quais de Morpork.

À cette heure où le gros des habitants se levaient tout juste ou s'apprêtaient à se mettre au lit, il n'y avait pas beaucoup de monde au Tambour Crevé pour voir Deuxfleurs descendre l'escalier. Lorsque le Bagage apparut derrière lui et entreprit de le descendre à son tour d'une démarche chaloupée mais assurée, les clients assis aux tables de bois rugueux jetèrent comme un seul homme un coup d'œil soupçonneux à leurs consommations.

Dularge rudoyait le petit troll qui balayait la taverne lorsque le trio passa devant lui. « Merde, c'est quoi, ça ? fit-il.

— Aie l'air de rien », lui souffla Colinmaille. Deuxfleurs feuilletait déjà son livre.

« Qu'est-ce qu'il fait ? demanda Dularge, les poings sur les hanches.

— Ça lui indique quoi dire. Je sais, ça paraît idiot, marmonna le mendiant.

— Comment un livre peut-il indiquer ce qu'il faut dire ?

— Je voudrais un logement, une chambre, un hébergement, un garni, pension complète, vos chambres sont-elles propres, une chambre avec vue, combien coûte une chambre pour la nuit ? » débita Deuxfleurs d'une traite.

Dularge regarda Colinmaille. Le mendiant haussa les épaules.

« Il est bourré de fric, dit-il.

— Dis-lui que c'est trois pièces de cuivre, alors. Et son machin, là, il ira à l'écurie.

— ? » fit l'étranger. Dularge leva trois doigts rouges boudinés et une soudaine compréhension éclaira la figure de l'étranger. Il plongea la main dans sa bourse et déposa trois grosses pièces d'or dans la paume du tavernier.

Dularge les fixa, l'œil rond. Elles représentaient à peu près quatre fois la valeur du Tambour Crevé, personnel compris. Il regarda Colinmaille. Aucune aide à attendre de ce côté-là. Il regarda l'étranger. Il déglutit.

« Oui, fit-il d'une voix anormalement aiguë. Et puis y a les repas, bien sûr. Hum. Vous comprenez, oui ? Nourriture. Manger. Non ? » Il se livra aux mimiques adéquates.

« Nurture ? répéta le petit homme.

— Oui, répondit Dularge qui commençait à transpirer. Moi, je serais vous, je regarderais dans votre petit bouquin. »

L'homme ouvrit son manuel et fit courir son doigt le long d'une page. Dularge, qui savait lire, si l'on peut dire, loucha dessus à l'envers. Ce qu'il vit n'avait aucun sens.

« Nouuuurriture, fit l'étranger. Oui. Escalope, parmentier, côtelette, civet, ragoût, fricassée, hachis, farce, soufflé, boulette, blanc-manger, sorbet, gruau, boudin, tourner en eau de boudin, radis, sans un radis, friandises, gelée, confitures. Abats de volaille. » Il fit un sourire radieux à Dularge.

« Tout ça ? demanda l'aubergiste d'une petite voix.

— C'est sa façon de parler, dit Colinmaille. Me demande pas pourquoi. C'est comme ça. »

Dans la salle, tous les yeux observaient l'étranger,

sauf deux : ceux du mage Rincevent qui, assis dans l'angle le plus sombre, sirotait une chope de très petite bière.

Lui, il observait le Bagage.

Observons à notre tour Rincevent.

Regardez-le. Efflanqué, comme la plupart des mages, vêtu d'une robe rouge sombre brodée de quelques signes cabalistiques en paillettes ternies. On aurait pu le prendre pour un simple apprenti enchanteur enfui de chez son maître par bravade, ennui, crainte et goût prononcé pour l'hétérosexualité. Pourtant, au bout d'une chaîne autour de son cou pendait l'octogone de bronze qui révélait l'ancien étudiant de l'Université de l'Invisible, la faculté de magie dont le campus transcendant au temps et à l'espace ne se trouve jamais exactement Ici ni Là. Ses diplômés embrassaient en général la carrière de mage, mais Rincevent – suite à un événement malheureux – avait arrêté ses études nanti d'un unique sortilège pour tout bagage et vivotait comme il pouvait en ville en tirant parti d'un don inné pour les langues. En principe il fuyait le travail, mais sa vivacité d'esprit donnait à ses relations l'impression d'avoir affaire à un rongeur déluré. Et il savait reconnaître du poirier savant quand il en voyait. Il en voyait en ce moment même et il n'en croyait pas ses yeux.

Un archimage, au prix d'un grand effort et d'une grosse dépense de temps, arriverait peut-être à obtenir un petit bourdon en bois de poirier savant. L'arbre ne poussait que sur les sites de magie ancienne. Il n'existait sûrement pas plus de deux bourdons de ce type dans toutes les cités de la mer Circulaire. Un gros coffre en poirier savant… Rincevent essaya de calculer et conclut que, même si la malle était pleine à craquer d'opales étoilées et de baguettes d'auricholate, le contenu ne dépasserait pas le dixième de la valeur du contenant. Une veine se mit à battre sur son front.

Il se leva et s'approcha du trio.

« Je peux vous aider ? hasarda-t-il.

— Tire-toi, Rincevent, gronda Dularge.

— Je me disais seulement que ça pourrait être utile de s'adresser à ce monsieur dans sa propre langue, répliqua aimablement le mage.

— Il s'en sort très bien tout seul », fit l'aubergiste qui recula quand même de quelques pas.

Rincevent sourit poliment à l'étranger et risqua quelques mots de chimérien. Il était fier de sa maîtrise de la langue, mais il ne suscita que de l'étonnement chez l'étranger.

« Ça ne marchera pas, intervint Colinmaille du ton du gars au courant. C'est le livre, vous voyez. Il lui dit quoi dire. Magique. »

Rincevent tâta alors du haut borograve, du vangle-mesht, du sumtri et même de l'orougou noir, langue qui ne possède aucun nom et qu'un seul adjectif, obscène d'ailleurs. Chaque tentative rencontra une incompréhension polie. En désespoir de cause, il essaya le trob barbare, et la figure du petit homme se fendit d'un sourire ravi.

« Enfin ! dit-il. Mon bon monsieur ! C'est incroyable ! » (Bien qu'en trob le dernier mot se traduise en fait par : « une-chose-qui-ne-peut-arriver-qu'une-fois-dans-l'existence-utile-d'un-canoë-soigneusement-évidé-à-la-hache-et-au-feu-dans-le-plus-grand-des-arbres-diamant-qui-poussent-dans-les-fameuses-forêts-d'arbres-diamant-sur-les-premières-pentes-du-mont-Awaay-séjour-des-dieux-du-feu-à-ce-qu'on-dit ».)

« C'était quoi, tout ça ? demanda Dularge, soupçonneux.

— Qu'a dit l'aubergiste ? » demanda le petit homme.

Rincevent déglutit. « Dularge, fit-il. Deux chopes de ta meilleure bière, s'il te plaît.

— Tu le comprends ?

— Oh, bien sûr.

— Dis-lui… Dis-lui qu'il est le bienvenu. Dis-lui que le petit déjeuner, ça coûte… euh… une pièce d'or. » L'espace d'un instant, la figure de l'aubergiste donna l'impression d'un combat intérieur titanesque, puis il ajouta, dans un élan de générosité : « Le tien est compris dedans.

— Étranger, dit Rincevent d'une voix égale, si vous restez ici, vous serez poignardé ou empoisonné avant la nuit. Mais continuez de sourire, sinon je vais y avoir droit aussi.

— Oh, allons donc, fit l'étranger en regardant autour de lui. L'endroit me paraît une authentique taverne morporkienne. J'en ai tellement entendu parler, vous savez. Toutes ces vieilles poutres au charme désuet. Et les prix sont très raisonnables. »

Rincevent jeta un rapide coup d'œil à la ronde, des fois qu'une fuite d'enchantement depuis le quartier des Magiciens de l'autre côté du fleuve les aurait momentanément transportés ailleurs. Non, il s'agissait bien toujours du Tambour Crevé, avec ses murs tachés de fumée, son sol en compost de vieux joncs et d'insectes anonymes, sa bière qu'on n'achetait pas vraiment, qu'on louait plutôt pour un temps limité. Il essaya d'associer cette image à l'adjectif « désuet », ou plus exactement à son équivalent trob, à savoir : « cette-agréable-singularité-architecturale-qu'on-trouve-dans-les-petites-maisons-coralliennes-des-pygmées-mangeurs-d'éponges-de-la-péninsule-d'Orohai ».

Son esprit chancela sous l'effort. Le visiteur poursuivit : « Je m'appelle Deuxfleurs », et il tendit la main. Instinctivement, les trois autres baissèrent les yeux pour voir si elle ne tenait pas une pièce.

« Enchanté de vous connaître, fit Rincevent. Moi, je suis Rincevent. Écoutez, je ne blaguais pas. C'est un coupe-gorge, ici.

— Parfait ! Exactement ce que je voulais !

— Hein ?

— C'est quoi, ce qu'il y a dans les chopes ?

— Ça ? De la bière. Merci, Dularge. Oui. De la bière. Vous savez. De la bière.

— Ah. La boisson typique. Une petite pièce d'or suffira à la payer, à votre avis ? Je ne veux offenser personne. »

Il l'avait déjà à moitié sortie de sa bourse.

« Aaargl, croassa Rincevent. Je veux dire, non, ça n'offensera personne.

— Bien. Un coupe-gorge, vous dites. Fréquenté, vous voulez dire, par des héros et des aventuriers ? »

Rincevent réfléchit. « Oui ? proféra-t-il.

— Excellent. Je voudrais en rencontrer. »

Tout s'expliqua dans l'esprit du mage. « Ah, fit-il. Vous venez enrôler des mercenaires (des-guerriers-qui-se-battent-pour-la-tribu-qui-a-le-plus-de-farine-de-noix-lactée) ?

— Oh, non. Je veux seulement les rencontrer. Pour pouvoir le raconter quand je rentrerai chez moi. »

Rincevent songea que si Deuxfleurs rencontrait la plupart des clients du Tambour, il ne rentrerait jamais chez lui, à moins d'habiter en aval du fleuve et d'y passer au fil du courant.

« Où c'est, chez vous ? » voulut-il savoir. Dularge s'était éclipsé dans une arrière-salle, remarqua-t-il.

Colinmaille les observait d'un œil soupçonneux depuis une table voisine.

« Avez-vous entendu parler de la ville de Bès Pélargic ?

— Ben, je ne suis pas resté longtemps en Trob. Je n'étais que de passage, vous voyez…

— Oh, ce n'est pas en Trob. Je parle trob parce qu'il y a beaucoup de marins béTrobi dans nos ports. Bès Pélargic est le principal port maritime de l'Empire agatéen.

— Je n'en ai jamais entendu parler, je le crains. »

Deuxfleurs haussa les sourcils. « Non ? C'est une grande ville. Vous naviguez dans le sens direct depuis les îles Brunes pendant une semaine, et vous y êtes. Ça ne va pas ? »

Il fit en hâte le tour de la table et tapa dans le dos du mage. Rincevent avait avalé sa bière de travers.

Le continent Contrepoids !

À trois rues de là, un vieil homme lâcha une pièce dans une coupelle d'acide qu'il fit tourner doucement. Dularge attendait impatiemment, mal à l'aise dans un local baignant dans la puanteur de cuves et de cornues bouillonnantes, encombré d'étagères garnies de formes sombres qui rappelaient des crânes et des bizarreries empaillées.

« Alors ? lança-t-il.

— Ça ne se fait pas comme ça, ces choses-là, répondit le vieil alchimiste avec mauvaise humeur. Ça prend du temps, une analyse. Ah ! » Il poussa du doigt la coupelle, où la pièce gisait désormais dans des volutes de couleur verte. Il se livra à quelques calculs sur un bout de parchemin.

« Extrêmement intéressant, dit-il enfin.

— *C'est une vraie ?* »

Le vieux fit la moue. « Ça dépend de ce que vous entendez par là, fit-il. Si vous voulez dire : est-ce que ce jaunet est identique à, mettons, une pièce de cinquante piastres, alors la réponse est non.

— Je le savais, s'écria l'aubergiste qui se dirigea vers la porte.

— Je ne suis pas sûr de m'être bien fait comprendre », dit l'alchimiste. Dularge se retourna, furieux.

« Comment ça ?

— Eh bien, vous voyez, pour une raison ou une autre, notre monnaie s'est un peu dénaturée au fil des ans. La teneur en or d'une pièce moyenne atteint à peine quatre douzièmes, le reste est constitué d'argent, de cuivre…

— Et alors ?

— J'ai dit que cette pièce-là n'est pas comme les nôtres. C'est de l'or *pur.* »

Après le départ de Dularge, ventre à terre, l'alchimiste passa un certain temps à contempler le plafond. Puis il sortit un tout petit bout de mince parchemin, fourragea en quête d'une plume parmi les débris qui jonchaient son établi et rédigea un message très court, très succinct. Il s'approcha ensuite de ses cages de colombes blanches, jeunes coqs noirs et autres animaux de laboratoire. De l'une il tira un rat au pelage luisant, roula le parchemin dans l'étui attaché à une patte arrière et relâcha l'animal.

Le rat courut un moment de droite et de gauche en flairant par terre avant de disparaître dans un trou du mur d'en face.

À peu près au même instant une diseuse de bonne aventure au palmarès ridicule jusque-là et qui vivait de l'autre côté du pâté de maisons jeta par hasard un coup d'œil dans sa boule de cristal, poussa un petit cri et, dans l'heure qui suivit, vendit ses bijoux, divers accessoires magiques, la majeure partie de ses vêtements et presque tous ses autres biens difficilement transportables sur le cheval le plus rapide qu'elle put acheter. Le fait que, plus tard, au moment où sa maison s'effondrerait en flammes, elle mourrait sous un éboulement imprévu dans les montagnes de Morpork, ce fait-là prouve que la Mort aussi a le sens de l'humour.

Toujours à peu près à l'instant où le rat voyageur disparaissait et galopait dans un labyrinthe de galeries sous la ville, poussé par un instinct ancestral, le Patricien d'Ankh-Morpork se saisissait des lettres distribuées ce matin-là par albatros. L'œil pensif, il considéra de nouveau celle du dessus et convoqua son chef des espions.

Et au Tambour Crevé, Rincevent, bouche bée, écoutait Deuxfleurs.

« Alors j'ai décidé d'aller voir par moi-même, disait le petit homme. Huit ans d'économies, ça m'a coûté. Mais je ne regrette pas le moindre demi-*rhinu*. Je veux dire, j'y suis. À Ankh-Morpork. Qu'on célèbre dans les chansons et les contes, je veux dire. Dans les rues qu'ont arpentées Heric Blanchelame, Hrun le Barbare, Bravd l'Axlandais et la Fouine... C'est exactement comme je l'imaginais, vous savez. »

La figure de Rincevent était un masque d'horreur fascinée.

« Là-bas à Bès-Pélargic, poursuivait gaiement Deuxfleurs, je ne supportais plus de rester toute la journée assis derrière un bureau, à totaliser des colonnes de chiffres, avec la retraite au bout pour tout avenir… Où est l'aventure dans tout ça ? Deuxfleurs, je me suis dit, c'est maintenant ou jamais. Il y a mieux à faire qu'écouter les histoires des autres. Tu peux y aller toi-même. Il est temps d'arrêter de traîner sur les quais pour entendre ce que racontent les marins. Alors je me suis composé un recueil d'expressions et j'ai pris une place sur le premier bateau en partance pour les îles Brunes.

— Pas de gardes du corps ? murmura Rincevent.

— Non. Pour quoi faire ? Qu'est-ce que j'ai d'intéressant pour les voleurs ? »

Rincevent toussa. « Vous avez, euh… de l'or, fit-il.

— À peine deux mille *rhinus*. Tout juste assez pour subsister un mois ou deux. Enfin, chez moi. J'imagine qu'ici on pourrait les faire durer un peu plus longtemps.

— Un *rhinu*, ça ne serait pas une de ces grosses pièces d'or ? demanda Rincevent.

— Si. » Deuxfleurs regarda d'un air inquiet le mage par-dessus ses étranges lentilles de vue. « Deux mille, ça suffira, d'après vous ?

— Aaargl, croassa Rincevent. Je veux dire, oui… ça suffira.

— Bien.

— Hum. Est-ce que tout le monde est aussi riche que vous, dans l'Empire agatéen ?

— Moi ? Riche ? Ça alors, où êtes-vous allé chercher une idée pareille ? Je ne suis qu'un pauvre employé ! J'ai trop donné à l'aubergiste, vous croyez ? ajouta Deuxfleurs.

— Euh… il se serait contenté de moins, concéda Rincevent.

— Ah. Je le saurai, la prochaine fois. J'ai beaucoup à apprendre, à ce que je vois. Il me vient une idée.

Rincevent, accepteriez-vous de me servir de... je ne sais pas, peut-être que le mot "guide" conviendrait à la situation ? Je pense avoir les moyens de vous payer un *rhinu* par jour. »

Rincevent ouvrit la bouche pour répondre mais sentit les mots se recroqueviller dans sa gorge, peu décidés à mettre le nez dans un monde qui sombrait si vite dans la folie. Deuxfleurs rougit.

« Je vous ai offensé, dit-il. C'était une demande déplacée à faire à un homme comme vous qui exercez une profession libérale. Vous avez sûrement un programme chargé auquel vous voulez retourner... des tâches de grande magie, sans doute...

— Non, répondit Rincevent d'une petite voix. Pas pour le moment. Un *rhinu*, vous dites ? Un par jour. Tous les jours ?

— Je crois, vu les circonstances, que je devrais peut-être aller à un *rhinu* et demi par jour. Plus les frais, bien entendu. »

Le mage se ressaisit magnifiquement. « Ce sera très bien, dit-il. Parfait. »

Deuxfleurs plongea la main dans sa bourse et en sortit un gros objet rond en or qu'il regarda un instant avant de le ranger à nouveau. Rincevent n'eut pas le temps de le voir distinctement.

« Je crois, dit le touriste, que je me reposerais bien un peu maintenant. La traversée a été longue. Et puis, si ça ne vous fait rien, vous pourriez repasser à midi et nous irions visiter la ville.

— Bien sûr.

— Alors soyez assez aimable pour demander à l'aubergiste de me conduire à ma chambre. »

Rincevent s'exécuta, et il regarda Dularge, nerveux comme un pou, tout juste revenu au galop d'une arrière-salle, monter le premier l'escalier de bois derrière le bar. Au bout de quelques secondes, le Bagage se leva et trottina à leur suite.

Le mage regarda alors les six grosses pièces dans sa main. Deuxfleurs avait insisté pour lui payer ses quatre premiers jours de gages d'avance.

Colinmaille hocha la tête et lui fit un sourire encourageant. Rincevent gronda en lui montrant les dents.

Étudiant, Rincevent n'avait jamais eu de bonnes notes en préconnaissance, mais aujourd'hui des circuits dont il ne s'était jamais servi palpitaient dans son cerveau, et l'avenir lui apparaissait comme gravé en couleurs vives sur ses prunelles. L'espace entre ses omoplates se mit à le démanger. Le plus sage, il le savait, c'était d'acheter un cheval. Un cheval rapide ; et cher – à première vue, il ne connaissait pas de marchand de chevaux assez riche pour lui rendre la monnaie sur presque une once d'or.

Ensuite, évidemment, les cinq pièces restantes lui permettraient d'ouvrir un cabinet rentable à une distance raisonnable, disons trois cents kilomètres. Voilà ce qui serait le plus sage.

Mais qu'adviendrait-il de Deuxfleurs, tout seul dans une ville où même les cafards avaient un instinct infaillible pour l'or ? Faudrait être une vraie canaille pour l'abandonner.

Le Patricien d'Ankh-Morpork sourit, mais des lèvres seulement.

« La porte d'Axe, vous dites ? » murmura-t-il.

Le capitaine des gardes salua vivement. « Oui, monseigneur. Nous avons dû abattre son cheval pour l'arrêter.

— Ce qui t'amène tout droit ici, fit le Patricien en baissant les yeux sur Rincevent. Et qu'as-tu à dire pour ta défense ? »

Selon la rumeur, une aile entière du palais du Patricien était dévolue à des clercs qui passaient leur temps à collationner et mettre à jour tous les renseignements recueillis par le réseau d'espions merveilleusement organisé de leur maître. Rincevent n'en doutait pas. Il jeta un coup d'œil du côté du balcon qui longeait un des murs de la salle d'audience. Un petit sprint, un bond agile... une pluie soudaine de carreaux d'arbalète. Il frissonna.

Le Patricien cala ses mentons dans une main couverte de bagues et posa sur le mage des yeux petits et durs comme des perles.

« Voyons, dit-il. Parjure, vol d'un cheval, mise en circulation de fausse monnaie... Oui, j'ai l'impression que pour toi, c'est l'Arène, Rincevent. »

C'en était trop.

« Je n'ai pas volé le cheval ! Je l'ai acheté honnêtement !

— Mais avec de la fausse monnaie. Ce qui revient à du vol, tu vois.

— Mais ces *rhinus*, c'est de l'or massif !

— Des *rhinus* ? » Le Patricien en manipula un de ses doigts épais. « C'est ainsi qu'on les nomme ? Très intéressant. Mais, comme tu l'as fait remarquer, ils ne ressemblent pas vraiment à nos piastres...

— Ben, évidemment, ce n'en...

— Ah, tu le reconnais, alors... »

Rincevent ouvrit la bouche pour parler, se ravisa et la referma.

« Exactement. Et pour couronner le tout n'oublions pas l'opprobre moral que jette ton lâche abus de confiance envers un étranger en visite sur nos côtes. Quelle honte, Rincevent ! »

Le Patricien fit un vague geste de la main. Les gardes derrière Rincevent reculèrent, et leur capitaine s'écarta de quelques pas sur la droite. Rincevent se sentit soudain très seul.

On raconte qu'à l'instant de la mort d'un mage, la Mort vient le réclamer en personne (au lieu de confier la tâche à un subalterne tel que la Pestilence ou la Famine comme c'est souvent le cas). Rincevent chercha nerveusement du regard autour de lui une grande silhouette en noir (les mages, même les mages ratés, possèdent dans leurs rétines, en plus des cônes et des bâtonnets, les tout petits octogones qui leur permettent de voir dans l'extrême octarine, la couleur fondamentale dont toutes les autres ne sont que des ombres pâlichonnes affectant l'espace normal à quatre dimensions ; on prétend qu'il s'agit d'une espèce de violet jaune-vert fluorescent).

C'était quoi, cette ombre tremblotante dans le coin ?

« Évidemment, dit le Patricien, je pourrais faire preuve de clémence. »

L'ombre disparut. Rincevent leva les yeux, une expression d'espoir insensé sur la figure.

« Oui ? » demanda-t-il.

Le Patricien fit un autre geste de la main. Rincevent vit les gardes sortir de la salle. Seul en compagnie du suzerain des cités jumelles, il souhaita presque qu'ils reviennent.

« Approche, Rincevent », dit le Patricien. Il désigna une coupe de friandises sur une table basse en onyx à côté du trône. « Veux-tu une méduse candie ? Non ?

— Euh… fit Rincevent, non.

— Je te demande maintenant d'écouter attentivement ce que je vais dire, reprit le Patricien d'une voix aimable, sinon tu mourras. D'une mort intéressante. Et longue. S'il te plaît, cesse de gigoter comme ça.

» Puisque tu es plus ou moins mage, tu sais bien entendu que nous vivons sur un monde en forme de disque, en quelque sorte ? Et qu'il existe, dit-on, vers l'autre bord, un continent qui, malgré sa petitesse, égale en poids toutes les grandes masses continentales de notre hémicercle ? Et que ce phénomène est dû, selon les anciennes légendes, au fait qu'il est en grande partie constitué d'or ? »

Rincevent fit oui de la tête. Qui n'avait pas entendu parler du continent Contrepoids ? Certains marins croyaient même à ces contes pour enfants et prenaient la mer pour le trouver. Évidemment, ils rentraient les mains vides, ou ne rentraient pas du tout. Sans doute dévorés par des tortues géantes, de l'avis de navigateurs plus dignes de foi. Parce que, bien sûr, le continent Contrepoids n'était rien de plus qu'un mythe solaire.

« Il existe bel et bien, évidemment, reprit le Patricien. Il n'est pas fait d'or, mais c'est vrai que l'or y est un métal très courant. La majeure partie de sa masse est due à d'immenses dépôts d'octefer enfouis dans la croûte discale. Il devient alors clair pour un esprit perspicace comme le tien que l'existence du continent Contrepoids représente une menace mortelle pour notre peuple, chez nous... » Il marqua un temps en voyant la bouche béante de Rincevent. Il soupira. « Est-ce que par hasard tu n'aurais pas tout suivi ?

— Aaargl », répondit Rincevent. Il déglutit et s'humecta les lèvres. « Enfin, non. Je veux dire... Ben, l'or...

— Je vois, fit le Patricien d'une voix douce. Tu te

41

dis, peut-être, que ce serait merveilleux d'aborder le continent Contrepoids et d'en ramener de l'or plein les cales ? »

Rincevent eut l'impression d'un piège qu'on tendait.

« Oui ? hasarda-t-il.

— Et si chaque riverain de la mer Circulaire possédait un tas d'or à lui ? Est-ce que ce serait une bonne chose ? Qu'arriverait-il ? Réfléchis bien. »

Le front de Rincevent se plissa. Il réfléchit. « On serait tous riches ? »

La chute de température qui accueillit sa réponse lui apprit que ce n'était pas la bonne.

« Autant te le dire, Rincevent, les seigneurs de la mer Circulaire entretiennent des relations avec le souverain de l'Empire agatéen, comme on l'appelle, poursuivit le Patricien. Mais des relations insignifiantes. Nous avons très peu de chose en commun. Nous n'avons rien qu'ils désirent, et eux n'ont rien que nous puissions acheter. Cet empire est vieux, Rincevent. Vieux, rusé, cruel et très, très riche. Alors nous échangeons des vœux fraternels par albatros. De loin en loin.

» Une de ces lettres est arrivée ce matin. Un sujet de l'empereur s'est apparemment mis en tête de visiter notre ville. Apparemment, ce qui l'intéresse, c'est regarder. Seul un fou endurerait toutes les privations d'une traversée de l'océan dans le sens direct avec pour seul but de *regarder* quelque chose. Pourtant, lui l'a fait.

» Il débarqué ce matin. Il aurait pu rencontrer un grand héros, ou le plus habile des voleurs, ou encore un grand philosophe pétri de sagesse. C'est sur toi qu'il est tombé. Il t'a engagé comme guide. Tu serviras de guide, Rincevent, à ce *regardeur*, ce Deuxfleurs. Tu veilleras à ce qu'il ramène chez lui une bonne image de notre petite patrie. Qu'en dis-tu ?

— Euh… Merci, monseigneur, répondit Rincevent d'une voix pitoyable.

— Il y a un autre détail, évidemment. Ce serait une tragédie s'il arrivait quoi que ce soit de fâcheux à notre petit visiteur. Ce serait terrible s'il mourait, par exemple. Terrible pour le pays tout entier, parce que l'empereur agatéen se soucie de son peuple et qu'il pourrait sûrement nous éliminer d'un signe de tête. D'un simple signe de tête. Et ce serait terrible pour toi, Rincevent, parce que dans les semaines qui nous resteraient avant le débarquement de la formidable flotte impériale de mercenaires, certains de mes serviteurs s'occuperaient de ta personne dans l'espoir que les capitaines ivres de vengeance, à leur arrivée, se radoucissent à la vue de ton corps toujours en vie. Il existe certains sortilèges qui empêchent la vie de quitter un corps, aux dieux ne plaise qu'on en arrive à de telles extrémités, et… Je vois à ta mine que tu commences à comprendre ?

— Aaargl.

— Je te demande pardon ?

— Oui, monseigneur. Je… euh… j'y veillerai… je veux dire, je ferai mon possible pour veiller… je veux dire… enfin, j'essayerai de prendre soin de lui et de veiller à ce qu'il ne lui arrive rien de mal. » Et après ça j'irai jongler avec des boules de neige en enfer, ajouta-t-il amèrement dans l'intimité de son crâne.

« Épatant ! J'ai déjà cru comprendre que Deuxfleurs et toi êtes en bons termes. Un excellent début. Quand il repartira sain et sauf dans son pays, tu n'auras pas affaire à un ingrat. Je lèverai même sûrement les accusations qui pèsent sur toi. Merci, Rincevent. Tu peux partir. »

Rincevent décida de ne pas réclamer la restitution des cinq derniers *rhinus*. Il s'en alla prudemment à reculons.

« Ah, une autre chose encore, dit le Patricien tandis que le mage cherchait les poignées de la porte à tâtons.

— Oui, monseigneur ? répondit-il, la mort dans l'âme.

— Je suis sûr que tu ne songes pas à te soustraire à tes obligations en fuyant la ville. Tu me parais fait pour la vie citadine. Mais sois certain qu'à la tombée de la nuit les seigneurs des autres villes seront informés de la situation.

— Je vous assure que cette idée ne m'est même jamais venue à l'esprit, monseigneur.

— Vraiment ? Alors moi, à ta place, je poursuivrais ma figure en justice pour diffamation. »

Rincevent arriva au Tambour Crevé à fond de train, juste à temps pour entrer en collision avec un homme qui en jaillissait de dos. La hâte de l'inconnu s'expliquait en partie par la lance plantée dans sa poitrine. Il glouglouta bruyamment et s'écroula mort aux pieds du mage.

Rincevent risqua un coup d'œil par l'embrasure de la porte et recula d'un bond lorsqu'une lourde hache de jet lui passa sous le nez dans un bruissement de perdrix.

Sûrement un lancer au petit bonheur, lui apprit un second coup d'œil prudent. L'intérieur obscur du Tambour était le théâtre d'une mêlée de combattants, dont un grand nombre – lui confirma un troisième coup d'œil prolongé – taillés en pièces. Rincevent se pencha en arrière pour esquiver un tabouret fou qui fila s'écraser de l'autre côté de la rue. Puis il plongea dans la taverne.

Il portait une robe sombre, qu'assombrissaient encore un port quotidien et des lavages sporadiques. Dans la pénombre pleine de fureur, personne n'eut l'air de remarquer une forme indistincte qui se glissait désespérément de table en table. Un moment, un combattant tituba en arrière et marcha sur ce qui lui parut des doigts. Ce qui lui parut des dents lui mordit la cheville. Il poussa un cri strident et baissa sa garde juste ce qu'il fallait pour qu'une épée maniée par un adversaire étonné l'embroche.

Rincevent atteignit l'escalier en suçant sa main meurtrie et en courant curieusement penché en avant. Un carreau d'arbalète se ficha dans la rampe au-dessus de lui, et il laissa échapper un gémissement.

Il grimpa l'escalier d'une traite sans respirer, s'attendant à tout moment à un autre tir mieux ajusté.

Dans le couloir à l'étage il se redressa, le souffle court, et vit le plancher devant lui jonché de cadavres. Un grand type à la barbe noire, une épée ensanglantée à la main, essayait une poignée de porte.

« Hé ! » s'écria Rincevent. L'homme regarda autour de lui, puis, presque distraitement, tira un court couteau de jet de sa bandoulière et le lança. Rincevent se baissa. Un cri bref s'éleva dans son dos lorsque l'arbalétrier qui mettait en joue lâcha son arme et s'agrippa la gorge.

Le grand barbu avançait déjà la main vers un autre couteau. Rincevent regarda autour de lui d'un air affolé puis, dans une improvisation hallucinée, il se releva pour prendre une pose de mage.

Il rejeta la main en arrière. « Asoniti ! Kyorucha ! Bizelbor ! »

L'homme hésita, cilla nerveusement des yeux à droite et à gauche dans l'attente du phénomène magique. Il conclut qu'il n'y en aurait pas au moment où Rincevent, fonçant en vrombissant dans le couloir, lui flanquait un méchant coup de pied dans l'aine.

Tandis que le barbu hurlait et s'empoignait l'entrejambe, le mage ouvrit la porte d'une traction, bondit à l'intérieur, referma le battant derrière lui et s'y adossa, hors d'haleine.

Tout était calme dans la chambre. Deuxfleurs dormait paisiblement sur le lit bas. Et au pied du lit reposait le Bagage.

Rincevent s'avança de quelques pas ; la cupidité le poussait aussi facilement que s'il était monté sur roulettes. Le coffre était ouvert. Il contenait des sacs, et dans l'un d'eux le mage vit briller de l'or. L'espace d'un instant, l'avidité l'emporta sur la prudence, et il tendit doucement la main... Mais à quoi bon ? Il ne vivrait jamais assez longtemps pour en profiter. À contrecœur, il ramena la main et fut surpris de voir un léger frémissement parcourir le couvercle ouvert du coffre. N'avait-il pas imperceptiblement bougé, comme agité par le vent ?

Rincevent regarda ses doigts, puis le couvercle. Il paraissait lourd et il était cerclé de bandages de cuivre. Parfaitement immobile à présent.

Quel vent ?

« Rincevent ! »

Deuxfleurs sauta du lit. Le mage fit un bond en arrière, un sourire forcé sur la figure.

« Mon vieux, pile à l'heure ! Nous allons déjeuner,

et ensuite, je suis sûr que vous avez prévu un programme du tonnerre pour cet après-midi !

— Euh…

— Formidable ! »

Rincevent prit une profonde inspiration. « Écoutez, dit-il au désespoir, allons manger ailleurs. Ça se cogne un peu en bas.

— Une bagarre de taverne ! Pourquoi vous ne m'avez pas réveillé ?

— Ben, vous voyez, je… *Quoi ?*

— Je croyais m'être fait bien comprendre ce matin, Rincevent. Je veux connaître la vraie vie morporkienne : le marché aux esclaves, la fosse aux Catins, le temple des Petits Dieux, la Guilde des Mendiants… et une vraie bagarre de taverne. » L'ombre d'un doute passa dans la voix de Deuxfleurs. « Vous en avez bien, non ? Vous savez, des gens qui se balancent aux lustres, des duels à l'épée sur les tables, le genre d'histoires dans lesquelles se fourrent toujours Hrun le Barbare et la Fouine. Vous savez… *de l'action.* »

Rincevent s'assit lourdement sur le lit.

« Vous tenez vraiment à voir une bagarre ? demanda-t-il.

— Oui. Qu'est-ce qu'il y a de mal à ça ?

— Pour commencer, on risque de se faire blesser.

— Oh, je ne parlais pas d'y participer nous-mêmes. Je veux seulement en voir une, c'est tout. Et certains de vos célèbres héros. Vous en avez, non ? Ce ne sont pas que des fables de marins ? » Voilà qu'au grand étonnement du mage, Deuxfleurs l'implorait presque.

« Oh, ouais. Pour ça, on en a », s'empressa de répondre Rincevent. Il se les imagina mentalement et recula devant cette simple évocation.

Tous les héros de la mer Circulaire franchissaient un

jour ou l'autre les portes d'Ankh-Morpork. La plupart venaient des tribus barbares voisines du Moyeu glacé, région plus ou moins spécialisée dans l'exportation de héros. Presque tous possédaient des épées magiques grossières dont les harmoniques non étouffées affectaient le plan astral et fichaient la pagaille à des kilomètres à la ronde dans les expériences délicates de sorcellerie appliquée, mais Rincevent n'avait rien à redire de ce côté-là. Il savait bien qu'il était un marginal question magie, il ne voyait donc aucun inconvénient à ce que la seule apparition d'un héros aux portes de la ville suffise à faire exploser les cornues et à matérialiser des démons dans tout le quartier des Magiciens. Non, ce qu'il n'aimait pas chez les héros, c'était leur morosité suicidaire à jeun et leur folie homicide en état d'ébriété. Et puis il y en avait trop. Certains des plus célèbres terrains de basses quêtes héroïques, aux alentours de la cité, étaient littéralement envahis en pleine saison. On parlait d'instaurer un système de roulement par équipes.

Rincevent se frotta le nez. Les seuls héros qu'il appréciait, c'étaient Bravd et la Fouine, momentanément absents de la ville, et Hrun le Barbare, quasiment un intellectuel selon les normes axlandaises vu qu'il pouvait réfléchir sans remuer les lèvres. On disait que Hrun courait l'aventure quelque part dans le sens direct.

« Écoutez, dit-il enfin. Avez-vous déjà vu un barbare ? »

Deuxfleurs fit non de la tête.

« C'est ce que je craignais, reprit Rincevent. Eh bien, ce sont… »

Un bruit de pieds au pas de course monta de la rue et une reprise du tumulte du rez-de-chaussée. Suivit un vacarme dans l'escalier. La porte s'ouvrit à la volée avant que Rincevent ait eu le temps de se ressaisir pour foncer vers la fenêtre.

Mais au lieu de l'hystérique rendu furieux par l'appât du gain qu'il s'attendait à voir, il se retrouva devant la figure ronde et rougeaude d'un sergent du guet. Il respira à nouveau. Bien sûr. Le guet prenait toujours soin de ne pas intervenir trop tôt dans une bagarre si l'avantage ne penchait pas lourdement en sa faveur. L'emploi donnait droit à la retraite et attirait des postulants d'un naturel prudent et réfléchi.

Le sergent lança un regard noir à Rincevent, puis considéra Deuxfleurs avec intérêt.

« Tout va bien, ici, alors ? fit-il.

— Oh, très bien, répliqua Rincevent. Vous avez été retardés, c'est ça ? »

Le sergent l'ignora. « C'est lui, l'étranger, alors ? demanda-t-il.

— On partait, se hâta de dire Rincevent qui passa au trob. Deuxfleurs, je crois qu'on devrait déjeuner ailleurs. Je connais des restaurants. »

Il sortit dans le couloir avec toute l'assurance dont il était capable. Deuxfleurs le suivit, et quelques secondes plus tard le sergent laissa échapper un cri étranglé lorsque le Bagage referma son couvercle dans un claquement, se leva, s'étira et leur emboîta le pas.

Les hommes du guet évacuaient les corps de la salle du bas. Il n'y avait pas de survivants. Le guet y avait veillé en leur laissant largement le temps de s'échapper par la porte de derrière, un heureux compromis entre la prudence et la justice qui profitait à toutes les parties.

« Qui sont tous ces hommes ? demanda Deuxfleurs.

— Oh, vous savez. Des hommes, c'est tout », répondit Rincevent. Et avant qu'il ait pu se retenir, un secteur désœuvré de son cerveau prit le contrôle de sa bouche et ajouta : « Des héros, en fait.

— Vraiment ? »

Quand on a un pied pris dans le Miasme Gris de H'rull, il est beaucoup plus facile de s'y engager franchement et de s'enfoncer dedans que de continuer de se débattre. Rincevent se laissa entraîner.

« Oui, celui-là, là-bas, c'est Erig Legrosbras, et là-bas, c'est Zenell le Noir…

— Est-ce que Hrun le Barbare est ici ? » voulut savoir Deuxfleurs en regardant avidement autour de lui. Rincevent prit une profonde inspiration.

« C'est lui, là, derrière nous », répondit-il.

L'énormité de ce mensonge était telle que ses ondes se propagèrent par un des plans astraux inférieurs jusque dans le quartier des Magiciens de l'autre côté du fleuve, où elles acquirent une vitesse incroyable au contact de l'immense vague de puissance qui y planait en permanence, avant de rebondir furieusement autour de la mer Circulaire. Une harmonique atteignit même Hrun en personne, alors qu'il combattait deux gnolls sur une saillie près de s'effondrer au sommet des monts Caderack, et elle lui causa l'espace d'un instant un malaise inexplicable.

Deuxfleurs, pendant ce temps, avait repoussé le couvercle du Bagage et sortait en hâte un lourd cube noir.

« C'est fantastique ! dit-il. On ne me croira jamais, chez moi !

— Qu'est-ce qu'il raconte ? demanda le sergent, indécis.

— Il est content que vous nous ayez sauvés », répondit Rincevent. Il lança un coup d'œil en coin à la boîte noire, s'attendant à moitié à ce qu'elle explose ou émette d'étranges sons musicaux.

« Ah », fit le sergent. Lui aussi fixait la boîte.

Deuxfleurs leur adressa un sourire radieux.

« J'aimerais garder un souvenir de cet événement, dit-il. Croyez-vous pouvoir leur demander d'aller se placer près de la fenêtre, s'il vous plaît ? Ça ne sera pas long. Et, euh… Rincevent ?

— Oui ? »

Deuxfleurs se dressa sur la pointe des pieds pour lui chuchoter à l'oreille.

« J'imagine que vous savez ce que c'est, n'est-ce pas ? »

Rincevent baissa les yeux sur la boîte. Un œil de verre tout rond dépassait au centre d'une de ses faces, et un levier à l'arrière.

« Pas vraiment, répondit-il.

— C'est un appareil à faire rapidement des images, l'informa Deuxfleurs. Une toute nouvelle invention. J'en suis assez fier mais, écoutez, je ne crois pas que ces messieurs… enfin, je veux dire qu'ils pourraient… disons, avoir quelques craintes. Est-ce que ça vous ennuierait de leur expliquer ? Je les dédommagerai du temps perdu, évidemment.

— Il a une boîte avec un démon à l'intérieur qui dessine des images, traduisit brièvement Rincevent. Faites ce que vous dit ce cinglé et il vous donnera de l'or. »

Le guet sourit nerveusement.

« J'aimerais vous avoir sur l'image, Rincevent. Voilà, très bien. » Deuxfleurs sortit le disque d'or que Rincevent avait déjà remarqué, loucha un moment, les yeux plissés, sur sa face invisible, marmonna « Trente secondes, ça devrait suffire », et lança joyeusement : « Souriez, s'il vous plaît !

51

— Souriez », grinça Rincevent. Un bourdonnement s'échappa de la boîte.

« Parfait ! »

À grande altitude au-dessus du disque, le second albatros filait comme une flèche ; à si grande altitude, en fait, que ses tout petits yeux orange et déments embrassaient l'ensemble du monde et l'immense anneau miroitant de la mer Circulaire. Il portait, attaché à une patte, un étui jaune contenant un message. Loin en dessous, caché par les nuages, son congénère qui avait transmis le message précédent au Patricien d'Ankh-Morpork s'en retournait chez lui d'un vol placide.

Rincevent regarda le petit carré de verre d'un œil ahuri. Il était là, oui, minuscule silhouette aux couleurs parfaitement rendues, debout devant un groupe d'hommes du guet dont les figures étaient figées dans un rictus de terreur. Un bourdonnement de panique muette monta des gardes qui l'entouraient alors qu'ils tendaient le cou par-dessus son épaule pour voir.

Avec un grand sourire, Deuxfleurs sortit une poignée de petites pièces dans lesquelles Rincevent reconnut des quarts de *rhinu*. Il adressa un clin d'œil au mage. « J'ai eu le même genre de problèmes quand j'ai fait escale aux îles Brunes, dit-il. Ils croyaient que l'iconographe allait voler une partie de leur âme. Ridicule, non ?

— Aaargl, fit Rincevent, puis, comme cette réponse ne suffisait guère à relancer la conversation, il ajouta :

Je ne trouve pas que ça me ressemble beaucoup, tout de même.

— C'est facile de s'en servir, poursuivit Deuxfleurs en ignorant la remarque. Regardez, tout ce qu'il faut, c'est appuyer sur ce bouton. L'iconographe s'occupe du reste. Tenez, je vais me placer à côté de Hrun, et vous allez prendre l'image. »

Les pièces calmèrent l'agitation des hommes comme l'or sait le faire, et Rincevent fut stupéfait de contempler dans sa main, trente secondes plus tard, un petit portrait sur verre de Deuxfleurs qui brandissait une immense épée ébréchée et souriait comme si tous ses rêves se réalisaient.

Ils déjeunèrent dans un petit restaurant près du pont d'Airain, le Bagage blotti sous la table. La nourriture et le vin, tous deux de loin supérieurs à l'ordinaire de Rincevent, contribuèrent grandement à le détendre. Les choses s'annonçaient plutôt bien, estima-t-il. Un peu d'imagination et un esprit vif, il n'en fallait pas plus.

Deuxfleurs avait l'air de réfléchir, lui aussi. Le nez dans son vin, l'air songeur, il demanda :

« Les bagarres de taverne sont courantes par ici, j'imagine ?

— Oh, assez, oui.

— L'aménagement et les installations subissent sûrement des dommages ?

— L'amé… Oh, je vois. Vous voulez dire les bancs, ces machins-là. Oui, je suppose.

— Ça doit être contrariant pour les aubergistes.

— Je n'y ai jamais vraiment réfléchi. Ça fait partie des risques de la profession, je pense. »

Deuxfleurs le regarda d'un air songeur.

« Là, je pourrais peut-être les aider, dit-il. Les risques, c'est mon métier. Dites, c'est un peu gras, ce qu'on mange, non ?

— Vous vouliez goûter aux spécialités morpor-kiennes, vous avez dit, répliqua Rincevent. C'est quoi, cette histoire de risques !

— Oh, je connais tout sur les risques. C'est mon métier.

— C'est bien ce qu'il m'avait semblé entendre. Je ne vous ai pas cru, d'ailleurs.

— Oh, des risques, je n'en *prends* pas. Ce qui m'est peut-être arrivé de plus excitant, c'est de renverser de l'encre. Moi, *j'évalue* les risques. Jour après jour. Savez-vous quelles sont les probabilités pour qu'une maison prenne feu dans le quartier du Triangle Rouge de Bès Pélargic ? Une chance contre cinq cent trente-huit. C'est moi qui ai calculé ça, ajouta-t-il avec un accent de fierté.

— Pour... – Rincevent tenta de réprimer un rot – pour quoi faire ? 'scusez-moi. » Il se resservit du vin.

« Pour... – Deuxfleurs marqua un temps – je ne peux pas le dire en trob. Je ne crois pas que les béTrobi ont un mot pour ça. Dans ma langue, ça s'appelle... » Il proféra une suite de syllabes barbares.

« *Hache-sueur-rance*, répéta Rincevent. Un drôle de mot. Qu'esse ça veut dire ?

— Eh bien, supposez que vous ayez un bateau chargé, disons, de lingots d'or. Il risque d'essuyer des tempêtes ou de se faire capturer par des pirates. Vous ne tenez pas à ce que ça arrive, alors vous contrac-tez une *peau-lisse-d'hache-sueur-rance*. Je calcule les chances que vous avez de perdre votre cargaison d'après les avis de tempête et les rapports d'actes de piraterie au cours des vingt dernières années, ensuite je les augmente un petit peu, et vous me donnez de l'argent en fonction de ces chances...

— ... et de la petite augmentation... fit Rincevent en agitant un doigt solennel.

— ... et alors, si la cargaison est perdue, je vous indemnise.

— Endémise ?

— Je vous paye la valeur de votre cargaison, expliqua patiemment Deuxfleurs.

— J'comprends. C'est comme un pari, pas vrai ?

— Une gageure ? Plus ou moins, j'imagine.

— Et ça rapporte de l'argent, cette *hache-sueur-rance* ?

— On récupère ses fonds, certainement. »

Baignant dans la chaleur douce et jaune du vin, Rincevent s'efforça de traduire cette *hache-sueur-rance* en termes intelligibles aux riverains de la mer Circulaire.

« Ch'crois que ch'comprends pas votre *hache-sueur-rance*, dit-il d'un ton ferme en regardant négligemment le monde tanguer autour de lui. La magie, cha oui. La magie ch'comprends. »

Deuxfleurs sourit.

— La magie, c'est une chose, et le *son-réfléchi-d'esprits-souterrains*, ç'en est une autre.

— 'oi ?

— Quoi ?

— Ch'mot bijarre qu'vous avez dit, fit Rincevent avec impatience.

— Le *son-réfléchi-d'esprits-souterrains* ?

— Jamais entendu caujer. »

Deuxfleurs essaya de lui expliquer.

Rincevent essaya de comprendre.

Durant tout le long après-midi ils visitèrent la cité

sur la rive sens direct du fleuve. Deuxfleurs ouvrait la marche, sa curieuse boîte à images pendue au bout d'une courroie passée autour du cou. Rincevent, à la traîne, gémissait de temps en temps et vérifiait que sa tête était toujours là.

Quelques autres personnes les suivaient aussi. Dans une ville où les exécutions publiques, duels, bagarres, querelles magiques et événements étranges ponctuaient régulièrement le train-train quotidien, les habitants avaient élevé la profession de curieux au summum de la perfection. C'étaient tous sans exception des badauds de grande expérience. En tout cas, Deuxfleurs prenait, ravi, image sur image d'autochtones occupés à ce qu'il appelait des activités typiques, et comme un quart de *rhinu* changeait ensuite de mains « en dédommagement », une procession de nouveaux riches stupéfaits et heureux l'escorta bientôt au cas où ce détraqué exploserait en une pluie d'or.

Au temple de Sek-aux-Sept-Mains, des prêtres et des artisans de la transplantation cardiaque rituelle convoqués à la hâte convinrent que la statue du dieu, haute de cent empans, était bien trop sacrée pour qu'on en fasse une image magique, mais une indemnisation de deux *rhinus* les poussa à reconnaître, à leur grande stupeur, qu'elle ne l'était peut-être pas tant que ça.

Une séance prolongée à la fosse aux Catins procura une série d'images colorées et instructives, et Rincevent en cacha un certain nombre sur lui afin de les examiner de près en privé. Comme les vapeurs d'alcool de son cerveau se dissipaient, il se mit à réfléchir sérieusement au fonctionnement de l'iconographe.

Même un mage raté sait que certaines substances sont sensibles à la lumière. Peut-être les plaques de verre étaient-elles traitées selon un quelconque procédé occulte qui figeait la lumière passant au travers ? Un truc dans ce goût-là, en tout cas. Rincevent se disait souvent qu'il existait quelque chose, quelque part, plus efficace que la magie. Il était en général déçu.

Quoi qu'il en soit, il saisit bientôt toutes les occasions de se servir de la boîte. Deuxfleurs n'était que trop content de le laisser faire, puisqu'il avait ainsi la possibilité d'apparaître sur ses propres images. C'est alors que Rincevent remarqua un détail étrange. La possession de la boîte donnait une espèce de puissance à son opérateur : quiconque se trouvait face à l'hypnotique œil de verre obéissait docilement aux ordres les plus péremptoires sur l'attitude et l'expression qu'il fallait prendre.

Ce fut pendant qu'il s'occupait ainsi sur la place des Lunes-Brisées que la catastrophe se produisit.

Deuxfleurs avait pris la pose auprès d'un vendeur de charmes ahuri, tandis que son escorte de nouveaux admirateurs l'observait avec intérêt au cas où il se livrerait à une folie amusante.

Rincevent mit un genou à terre, la meilleure position pour prendre l'image, et appuya sur le levier enchanté.

« Te fatigue pas. J'suis à court de rose », fit la boîte.

Une porte que le mage n'avait pas remarquée jusque-là s'ouvrit sous son nez. Une petite silhouette humanoïde verte et affreusement verruqueuse se pencha au-dehors, désigna la palette encroûtée de couleurs que tenait sa main griffue et se mit à brailler. « Pas de rose ! Tu vois ? s'époumona l'homoncule. Ça sert à rien de t'exciter sur le levier si y a plus de rose, hein ? Si tu voulais du rose, fallait pas prendre toutes ces images de jeunes dames, tu comprends ? À partir de maintenant, c'est du monochrome, l'ami. Vu ?

— D'accord. Ouais, bien sûr », répondit Rincevent. Dans un coin sombre de la petite boîte, il crut reconnaître chevalet et un tout petit lit défait. Il espéra avoir fait erreur.

« Bon, du moment que t'as compris », dit le diablotin qui referma la porte. Rincevent crut entendre, étouffés, des grommellements et le raclement d'un tabouret qu'on traînait sur le plancher.

« Deuxfleurs… » commença-t-il, et il releva la tête.

Deuxfleurs avait disparu. Tandis que Rincevent dévisageait la foule et que des fourmillements d'horreur lui remontaient l'épine dorsale, il sentit une légère poussée dans le bas du dos.

« Retourne-toi lentement, fit une voix comme de la soie noire. Ou dis adieu à tes reins. »

La foule suivait la scène avec intérêt. La journée se révélait plutôt bonne.

Rincevent se retourna doucement et sentit la pointe d'une épée lui érafler les côtes. À l'autre bout de la lame, il reconnut Stren Withel : voleur, spadassin cruel, prétendant frustré au titre de pire canaille du monde.

« Salut », dit-il d'une petite voix. À quelques pas de là il vit deux hommes patibulaires soulever le couvercle du Bagage et montrer d'un doigt excité les sacs d'or. Withel sourit. L'effet sur sa face couturée de cicatrices était effrayant.

« Je te connais, toi, dit-il. Un mage traîne-ruisseau. C'est quoi, ce *machin* ? »

Rincevent s'aperçut que le couvercle du Bagage tremblait légèrement, et pourtant il n'y avait pas de vent. Et lui tenait toujours la boîte à images.

« Ça ? Ça fait des images, répondit-il joyeusement. Hé, continuez de sourire comme ça, vous voulez bien ? » Il recula rapidement et pointa la boîte.

L'espace d'un instant, Withel hésita. « *Quoi ?* fit-il.

— Parfait, on ne bouge plus… » dit Rincevent.

Le voleur marqua un temps, puis il grogna et ramena son épée en arrière.

Il y eut un *clac* et un duo de cris horribles. Rincevent ne tourna pas la tête, par crainte de ce qu'il risquait de voir, et lorsque Withel le chercha à nouveau des yeux, il se trouvait de l'autre côté de la place et continuait de prendre de la vitesse.

L'albatros décrivit lentement de longues courbes descendantes qui s'achevèrent dans un tourbillon de plumes manquant de dignité et un bruit sourd lorsqu'il atterrit lourdement sur sa plate-forme dans le jardin aviaire du Patricien.

Le gardien des oiseaux, lequel somnolait au soleil et ne s'attendait guère à une dépêche longue distance si tôt après l'arrivage du matin, bondit sur ses pieds et leva les yeux.

Quelques instants plus tard, il cavalait dans les couloirs du palais en tenant la capsule à messages et – à cause d'une maladresse due à la surprise – en suçant la méchante blessure qu'un bec lui avait laissée au dos de la main.

Rincevent dévala une ruelle sans se soucier des hurlements de rage qui s'échappaient de la boîte à images et sauta un mur, sa robe élimée claquant autour de lui comme les plumes d'un choucas ébouriffé. Il atterrit dans l'avant-cour d'un marchand de tapis, dispersa articles et clients, plongea par la porte de derrière dans un chapelet d'excuses, s'engouffra en dérapage dans une autre ruelle et s'arrêta, en vacillant dangereusement, à l'instant où il allait basculer étourdiment dans l'Ankh.

On dit de certains fleuves mystiques qu'une seule goutte de leur eau suffit à ôter la vie à un homme. Après sa traversée turbide des cités jumelles, l'Ankh aurait pu s'ajouter à la liste.

Au loin, les cris de rage se teintèrent d'un accent perçant de terreur. D'un regard désespéré, Rincevent chercha autour de lui un bateau ou une prise sur les murs à pic de chaque côté.

Il était pris au piège.

Sans qu'il l'ait invoqué, le Sortilège lui vint à l'esprit. Dire que Rincevent l'avait appris serait sans doute inexact ; c'est le Sortilège qui avait appris Rincevent. L'événement avait entraîné son expulsion de l'Université de l'Invisible : pour une histoire de pari, il avait osé ouvrir les pages du dernier exemplaire existant du grimoire personnel du Créateur, l'In-Octavo (pendant que le bibliothécaire de l'Université était occupé ailleurs). Le sortilège avait bondi de la page pour s'enfouir aussitôt au fond de son cerveau, d'où même tous les experts réunis de la faculté de Médecine n'avaient pas réussi à le déloger malgré leurs flatteries. Ils n'avaient pas réussi non plus à déterminer exactement de quel sortilège il s'agissait, sinon qu'il faisait partie des huit fondamentaux étroitement entrelacés dans le tissu même du temps et de l'espace.

Depuis lors il manifestait une tendance inquiétante, dès que Rincevent se sentait déprimé ou particulièrement menacé, à vouloir se faire prononcer.

Le mage serra les dents, mais la première syllabe passa en force à la commissure des lèvres. Sa main gauche se leva malgré lui et, tandis que la puissance magique le faisait tournoyer sur lui-même, se mit à projeter des étincelles octarines...

Le Bagage tourna à toute vitesse au coin de la ruelle ; ses centaines de genoux jouaient comme autant de pistons.

Rincevent ouvrit la bouche toute grande. Le sortilège mourut sur ses lèvres sans être prononcé.

Le coffre ne paraissait aucunement gêné par le tapis d'ornement qui le drapait d'un air coquin ni par le voleur qui lui pendait au couvercle par un bras. C'était, littéralement, un poids mort. Un peu plus loin le long du couvercle dépassaient les restes de deux doigts, au propriétaire inconnu.

Le Bagage s'arrêta à quelques pas du mage et, au bout d'un moment, rentra ses jambes. Rincevent ne lui voyait pas d'yeux mais il était sûr que le coffre le regardait. Et qu'il attendait. « Va coucher », dit le mage d'une voix faible. Le Bagage refusa de bouger, mais son couvercle s'ouvrit en grinçant et relâcha le cadavre du voleur.

Rincevent se souvint de l'or. Le coffre avait censément besoin d'un maître. En l'absence de Deuxfleurs, avait-il adopté le mage ?

La marée changeait et, dans la lumière jaune de l'après-midi, il voyait dériver des débris au fil de l'eau vers la porte du Fleuve, à quelques centaines de mètres à peine en aval. Ce fut l'affaire d'un instant d'envoyer le cadavre du voleur les rejoindre. Même si on le découvrait plus tard, il ne susciterait guère de commentaires. Et les requins de l'estuaire avaient l'habitude de prendre des repas aussi copieux que réguliers.

Rincevent regarda s'éloigner le corps et réfléchit à la manœuvre suivante. Le Bagage flotterait sûrement. Tout ce qu'il avait à faire, c'était attendre la tombée de la nuit et se laisser emporter par la marée. Il ne manquait pas de coins déserts en aval où il pourrait patauger jusqu'à la berge, et après... Eh bien, si le Patricien avait vraiment passé le mot à son sujet, il n'aurait qu'à changer de vêtement, se raser, et le tour serait joué. N'importe comment, il existait d'autres pays et il avait le don des langues. Qu'il gagne seulement la Chimérie, le Gonim ou le Trapellun, et une demi-douzaine d'armées n'arriveraient pas à le ramener. Et ensuite... la fortune, le confort, la sécurité...

Restait, évidemment, le problème de Deuxfleurs. Rincevent s'autorisa un bref instant de tristesse.

« Ça pourrait être pire, dit-il en guise d'adieu. Ça pourrait être *moi*. »

Il voulut alors bouger et s'aperçut que ses vêtements s'étaient accrochés à quelque chose.

Il tordit le cou et découvrit que le couvercle du Bagage retenait fermement le bord de sa robe.

« Ah, Gorphal, fit aimablement le Patricien. Entre. Assieds-toi. Puis-je insister pour que tu prennes une étoile de mer candie ?

— Je suis à vos ordres, maître, répondit calmement le vieil homme. Sauf, peut-être, pour ce qui concerne les échinodermes en conserve. »

Le Patricien haussa les épaules et désigna le rouleau de parchemin sur la table.

« Lis ça », dit-il.

Gorphal prit le parchemin et leva légèrement un sourcil en reconnaissant les idéogrammes familiers de l'empire de l'Or. Il lut en silence pendant peut-être une minute, puis retourna le document pour examiner attentivement le sceau de l'autre côté.

« Tu as une réputation de spécialiste des affaires de l'Empire, fit le Patricien. Peux-tu m'expliquer ça ?

— Pour bien connaître l'Empire, il est moins besoin de noter des événements spécifiques que de s'intéresser à une certaine tournure d'esprit, répondit le vieux diplomate. Le message est curieux, oui, mais pas surprenant.

— Ce matin, l'Empereur m'a *chargé* (le Patricien se permit le luxe d'une mine renfrognée), m'a *chargé*, Gorphal, de protéger ce Deuxfleurs. À présent, on dirait que je doive le faire tuer. Tu ne trouves pas ça surprenant ?

— Non. L'Empereur n'est encore qu'un enfant. C'est un… idéaliste. Un passionné. Un dieu pour son peuple. Alors que la lettre de cet après-midi vient, sauf erreur de ma part, de Neuf-Miroirs-Pivotants, le Grand Vizir. Il a vieilli au service de plusieurs empereurs. Il les tient pour des éléments nécessaires, quoique agaçants, à la bonne marche de l'Empire. Il déteste que les choses ne restent pas à leur place. On ne bâtit pas un empire de cette façon-là. C'est son point de vue.

— Je commence à comprendre… dit le Patricien.

— Parfaitement. » Gorphal sourit dans sa barbe. « Ce touriste n'est pas resté à sa place. Après avoir accédé aux désirs de son maître, Neuf-Miroirs-Pivotants prendra, j'en suis sûr, ses propres dispositions pour que ce voyageur isolé n'ait pas l'occasion de rentrer au pays en ramenant, peut-être, la maladie de l'insatisfaction. L'Empire aime que les gens restent à la place qu'il leur a attribuée. Ce serait alors tellement plus commode si ce Deuxfleurs disparaissait pour de bon en pays barbare. À savoir ici, maître.

— Et que me conseilles-tu ? » demanda le Patricien.

Gorphal haussa les épaules.

« Simplement de ne rien faire. Les choses s'arrangeront sûrement d'elles-mêmes. Toutefois… – il se gratta pensivement une oreille – la Guilde des Assassins, peut-être… ?

— Ah, oui. La Guilde des Assassins. Qui en est le président, en ce moment ?

— Zlorf Pied-de-Flanelle, maître.

— Glisse-lui un mot, veux-tu ?

— Parfaitement, maître. »

Le Patricien hocha la tête. Il se sentait plutôt soulagé. Il était d'accord avec Neuf-Miroirs-Pivotants : la vie était bien assez dure comme ça. Les gens n'avaient qu'à rester à leur place.

Des constellations étincelantes brillaient au-dessus du Disque-Monde. L'un après l'autre les boutiquiers fermèrent leurs devantures. L'un après l'autre les gonocoquins, voleurs, crocheteurs, prostituées, manipulateurs, relapses et monte-en-l'air se réveillèrent et prirent leur petit déjeuner. Les mages vaquèrent à leurs affaires polydimensionnelles. Ce soir-là, deux planètes majeures entraient en conjonction, et les premiers sortilèges embrumaient déjà l'atmosphère au-dessus du quartier des Mages.

« Écoute, fit Rincevent, ça n'avance à rien. » Il se déplaça de quelques centimètres en crabe. Le Bagage le suivit fidèlement, le couvercle entrebâillé, menaçant. Le mage songea l'espace d'un instant se mettre hors d'atteinte d'un bond désespéré. Le Bagage clappa du couvercle d'avance.

De toute façon, se dit Rincevent la mort dans l'âme, cette saleté le suivrait quand même. C'est qu'elle avait l'air tenace. Même s'il réussissait à se trouver un cheval, le mage avait la désagréable impression que le coffre ne lâcherait pas sa piste. Jamais. Il traverserait les fleuves et les océans à la nage. Se rapprocherait un peu plus chaque nuit, pendant que lui serait obligé de faire halte pour dormir. Et un jour, dans une ville exotique, à des années d'ici, il entendrait des centaines de petits pieds galoper sur la route dans son dos...

« Tu te trompes de gars ! gémit-il. C'est pas de ma faute ! C'est pas moi qui l'ai kidnappé ! »

Le Bagage s'avança légèrement. Il ne restait plus maintenant qu'une étroite bande de jetée graisseuse entre les talons de Rincevent et le fleuve. Un éclair de prescience l'informa que le coffre arriverait à nager plus vite que lui. Il évita d'imaginer à quoi ressemblait une noyade dans l'Ankh.

« Il continuera tant que t'auras pas cédé, tu sais », fit une petite voix sur le ton de la conversation.

Rincevent baissa les yeux sur l'iconographe qui lui pendait toujours autour du cou. La trappe était ouverte et l'homoncule, appuyé contre l'encadrement, fumait une pipe en suivant la scène d'un œil amusé.

« Tu y passeras avec moi, au moins », fit Rincevent, les dents serrées.

Le diablotin se retira la pipe de la bouche. « Qu'est-ce que tu dis ?

— Je dis que tu y passeras avec moi, merde !

— Comme tu veux. » Le diablotin tapota la paroi de sa boîte d'un air entendu. « On verra bien qui coulera le premier. »

Le Bagage bâilla et s'avança d'un petit centimètre.

« Bon, d'accord, fit Rincevent avec irritation. Mais faut me laisser le temps de réfléchir. »

Le Bagage recula lentement. Rincevent regagna prudemment un lieu un peu plus sûr et s'assit, le dos contre un mur. De l'autre côté du fleuve, les lumières d'Ankh luisaient.

« T'es un mage, dit le diablotin imagier. Tu vas bien trouver un moyen de lui remettre la main dessus.

— Je ne vaux pas lourd comme mage, j'en ai peur.

— Tu peux sauter sur le dos des gens et les changer en vers de terre, ajouta l'autre d'un ton encourageant en ignorant sa dernière remarque.

— Non. La Transformation en Animaux, c'est un sortilège de huitième niveau. Je n'ai même pas fini mes études. Je ne connais qu'un seul sortilège.

— Eh ben, ça ira.

— Ça m'étonnerait, fit Rincevent au désespoir.

— Il fait quoi, alors, ce sortilège ?

— Peux pas te le dire. Tiens pas vraiment à en parler. Mais franchement, soupira-t-il, les sortilèges, ça n'est guère intéressant. Il faut trois mois pour en retenir même un simple, et une fois qu'on s'en est servi, pouf ! y en a plus. C'est ce qui est tellement idiot dans ces histoires de magie, tu vois. Tu passes vingt ans à apprendre le sortilège qui fait apparaître des vierges nues dans ta chambre, et tu t'es tellement intoxiqué aux vapeurs de mercure et usé les yeux à lire des vieux grimoires que tu n'arrives pas à te rappeler ce qu'il faut en faire après.

— J'avais jamais vu les choses sous cet angle, fit le diablotin.

— Hé là, écoute... ça n'a pas de sens. Quand Deux-fleurs a dit qu'ils avaient une meilleure magie dans l'Empire, j'ai cru... j'ai cru. »

Le diablotin le regarda, attendant la suite. Rincevent jura tout bas.

« Ben, si tu veux savoir, j'ai cru que ce n'était pas de magie qu'il parlait. Pas en tant que telle.

— Il parlait de quoi, alors, si c'est pas de magie ? »

Rincevent commençait à se sentir vraiment malheureux. « Je ne sais pas, dit-il. D'une meilleure façon de procéder, j'imagine. Un système un peu plus sensé. Domestiquer… domestiquer la foudre, ou autre chose. »

Le diablotin posa sur lui un regard doux mais compatissant.

« La foudre, ce sont les piques que se lancent les géants du tonnerre quand ils se battent, dit-il gentiment. C'est un fait météorologique reconnu. On peut pas la domestiquer.

— Je sais, fit Rincevent d'une voix pitoyable. C'est là que pèche mon raisonnement, bien sûr. »

Le diablotin hocha la tête et disparut dans les profondeurs de l'iconographe. Quelques instants plus tard, Rincevent sentit une odeur de jambon frit. Il attendit que son estomac n'y tienne plus et cogna sèchement sur la boîte. Le diablotin réapparut.

« J'ai réfléchi à ce que tu m'as dit, lança-t-il avant que Rincevent ait pu ouvrir la bouche. Même si t'arrivais à la domestiquer, comment tu lui ferais tirer un chariot ?

— De quoi tu parles, bon sang ?

— De la foudre. Ça va de haut en bas. Faudrait la faire aller de long en large, pas de haut en bas. De toute façon, elle cramerait sûrement le harnais.

— Je m'en fiche, moi, de la foudre ! Comment veux-tu que je réfléchisse le ventre vide ?

— Mange un bout, alors. Faut être logique.

— Comment veux-tu ? Dès que je bouge le petit doigt, cette foutue caisse se met à jouer des charnières pour me faire peur ! »

En réponse, le Bagage s'ouvrit tout grand.

« Tu vois ?

— Il veut pas te mordre, fit le diablotin. Y a de quoi manger, là-dedans. Tu lui sers à rien si tu crèves la dalle. »

Rincevent fouilla des yeux les recoins sombres du Bagage. Il aperçut effectivement, dans le fouillis des boîtes et des sacs d'or, plusieurs bouteilles et des paquets enveloppés dans du papier huilé. Il lâcha un rire incrédule, fureta sur la jetée abandonnée jusqu'à ce qu'il trouve un bout de bois à peu près de la longueur désirée qu'il coinça aussi poliment que possible dans l'ouverture entre le couvercle et le coffre, puis sortit un des paquets plats.

Le paquet contenait des biscuits qui se révélèrent aussi durs que du bois-diamant.

« 'utain de'erde, marmonna-t-il en se massant la mâchoire.

— Ça, c'est les Biscuits de Voyage du Capitaine Huitpanthères, l'informa le diablotin depuis la porte de sa boîte. Ç'a sauvé des tas de vies en mer, ça.

— Oh, sûrement. On s'en sert comme radeau, ou est-ce qu'on les jette aux requins pour les voir comme qui dirait couler à pic ? Il y a quoi, dans les bouteilles ? Du poison ?

— De l'eau.

— Mais il y en a partout, de l'eau ! Pourquoi il a voulu amener de l'eau ?

— Il se méfiait.

— Il se méfiait ?

— Oui. De l'eau du coin. Tu comprends ? »

Rincevent ouvrit une bouteille. Le liquide qu'elle contenait aurait pu être de l'eau. La saveur en était plate, nulle, sans trace de vie. « Ça ne sent rien, et ça n'a pas de goût », grommela-t-il.

Le Bagage émit un petit grincement pour attirer son

attention. Avec une nonchalance délibérée pour mieux faire comprendre la menace, il referma lentement son couvercle, broyant la cale improvisée de Rincevent comme une baguette de pain sec.

« D'accord, d'accord, fit le mage. Je réfléchis. »

Le quartier général d'Ymor occupait la Tour Penchée, au carrefour de la rue du Givre et du passage du Gel. À minuit, la sentinelle solitaire appuyée parmi les ombres leva les yeux vers les planètes en conjonction et se demanda distraitement quel changement elles annonçaient dans son destin.

Il y eut un bruit imperceptible, comme un bâillement de moucheron.

Le garde jeta un coup d'œil dans la ruelle déserte et surprit alors le reflet de la lune sur un objet dans la boue à quelques pas. Il le ramassa. La clarté lunaire se réfléchit sur de l'or, et le garde avala une goulée d'air si bruyante que la venelle faillit en renvoyer l'écho.

Le même petit bruit se reproduisit, et une nouvelle pièce roula dans le caniveau de l'autre côté.

Le temps qu'il la ramasse, une troisième apparut un peu plus loin qui tournait encore sur elle-même. À ce qu'on disait, se souvint-il, l'or naissait de la lumière cristallisée des étoiles. Jusqu'à ce jour il n'avait jamais cru qu'un corps aussi lourd que l'or puisse tomber naturellement du ciel.

Alors qu'il arrivait à la hauteur de la ruelle d'en face, d'autres pièces tombèrent. Elles étaient encore dans leur bourse, il y en avait des tas, et Rincevent les lui abattit lourdement sur le crâne.

Lorsque le garde revint à lui, il leva les yeux et tomba sur la figure hallucinée d'un mage qui lui menaçait la gorge d'une épée. Quelque chose d'autre, dans le noir, lui étreignait fermement la jambe.

C'était le genre d'étreinte troublante laissant entendre que le responsable pourrait serrer encore beaucoup plus s'il le voulait.

« Où il est, le riche étranger ? siffla le mage. Vite !

— Qu'est-ce qui me tient la jambe ? » demanda l'homme, un accent de terreur dans la voix. Il se tortilla pour essayer de se dégager. L'étreinte se resserra.

« Tu n'aimerais pas savoir, répondit Rincevent. Écoute-moi bien, s'il te plaît. Où est l'étranger ?

— Pas ici ! Ils le tiennent chez Dularge ! Tout le monde le cherche ! Vous êtes Rincevent, c'est ça ? Le coffre... le coffre qui mord les gens... ononnonnon... j'vous en priiiie... »

Rincevent était parti. Le garde sentit l'invisible étreigneur de jambe – ou plutôt l'invisible *chose*, comme il commençait à le redouter – relâcher sa prise. Puis, tandis qu'il s'efforçait de se relever, un objet gros, lourd et anguleux surgit des ténèbres, le percuta et fonça sur les traces du mage. Un objet monté sur des centaines de tout petits pieds.

Avec le seul secours de son recueil d'expressions réunies par ses soins, Deuxfleurs tentait d'expliquer à Dularge les mystères de l'*hache-sueur-rance*. Le gros aubergiste écoutait avec une vive attention, et ses petits yeux noirs brillaient.

Depuis l'autre bout de la table, Ymor les observait d'un air légèrement amusé et de temps en temps jetait à un de ses corbeaux de petits morceaux pris dans son assiette. À côté de lui, Withel faisait les cent pas.

« Tu t'inquiètes trop, fit Ymor sans quitter des yeux

les deux hommes en face de lui. Je le sens, Stren. Qui oserait nous attaquer ici ? Et le mage traîne-ruisseau va venir. Il est trop lâche pour faire autrement. Et il va vouloir marchander. Et alors il sera à nous. Tout comme l'or. Et le coffre. »

L'œil unique de Withel lança un éclair, et il fit claquer son poing dans une paume gantée de noir.

« Qui aurait cru qu'il y avait autant de poirier savant sur tout le Disque ? demanda-t-il. Comment on aurait pu savoir ?

— Tu t'inquiètes trop, Stren. Je suis sûr que tu peux faire mieux cette fois-ci », dit aimablement Ymor.

Son lieutenant grogna de dégoût et fit le tour de la salle à grands pas pour houspiller ses hommes. Ymor continuait d'observer le touriste.

Curieusement, le petit homme n'avait pas l'air conscient de la gravité de sa situation. Ymor l'avait à plusieurs reprises vu embrasser la salle d'un regard extrêmement satisfait. Il discutait aussi depuis une éternité avec Dularge, et Ymor avait vu un papier changer de mains. Et Dularge avait donné quelques pièces à l'étranger. Bizarre.

Lorsque l'aubergiste se leva et passa en se dandinant près de la chaise d'Ymor, le bras du maître voleur se détendit comme un ressort d'acier et saisit le gros homme par son tablier.

« Vous parliez de quoi, mon ami ? demanda doucement Ymor.

— D... de rien, Ymor. D'affaires entre nous, quoi.

— Pas de secrets entre amis, Dularge.

— Ouuu... i. Mais je ne sais pas trop moi-même, en fait. C'est une sorte de pari, vous voyez ? répondit l'aubergiste, nerveux. *Hache-sueur-rance*, ça s'appelle.

C'est comme un pari que le Tambour Crevé ne brûlera pas. »

Ymor fixa les yeux de l'autre jusqu'à ce que la figure de l'aubergiste se contracte de peur et d'embarras. Puis le maître voleur éclata de rire.

« Ce vieux tas de bois bouffé aux vers ? fit-il. Sûrement un cinglé, ce gars-là !

— Oui, mais un cinglé plein d'argent. D'après lui, maintenant qu'il a la... – je ne retrouve pas le mot, ça commence par un *p*. c'est comme qui dirait l'enjeu du pari – les gens pour qui il travaille dans l'Empire agatéen paieront. Si le Tambour Crevé brûle. Je n'espère pas ça, remarquez. Qu'il brûle. Le Tambour Crevé, je veux dire. Je veux dire, c'est comme ma maison, le Tambour...

— Tu n'es pas complètement idiot, quand même ? » fit Ymor en repoussant l'aubergiste.

La porte s'ouvrit à la volée sur ses gonds et percuta sourdement le mur.

« Hé, c'est ma porte ! » brailla Dularge. Il reconnut alors celui qui se tenait en haut des marches et il plongea derrière la table un copeau de temps avant qu'un dard sombre et court ne traverse la salle pour se ficher dans la menuiserie avec un bruit mat.

Ymor déplaça prudemment la main et se versa un autre cruchon de bière.

« Tu me tiendras bien compagnie, Zlorf ? lança-t-il d'un ton égal. Et range-moi cette épée, Stren. Zlorf Pied-de-Flanelle est notre ami. »

Le président de la Guilde des Assassins fit tournoyer sa courte sarbacane et la logea dans son étui d'un même mouvement souple.

« Stren ! » jeta Ymor.

Le voleur vêtu de noir siffla tout bas et rengaina

son épée. Mais il garda la main sur la poignée et les yeux sur l'assassin.

Ça n'était pas facile. La promotion à la Guilde des Assassins se faisait par concours, l'épreuve pratique étant la plus importante – la seule, à vrai dire. Voilà pourquoi la figure large et honnête de Zlorf n'était qu'un entrelacs de tissu cicatriciel, résultat de nombreux combats rapprochés. De toute façon, elle ne devait déjà pas être très jolie au départ – on racontait que Zlorf avait choisi une profession où les capuches noires, les capes et les maraudes nocturnes jouaient un grand rôle parce qu'il y avait du sang troll dans sa famille et que les trolls craignaient la lumière du jour. Ceux qui le racontaient à portée d'oreilles de Zlorf ramenaient généralement les leurs chez eux dans leur chapeau.

Il descendit l'escalier sans se presser, suivi par un groupe d'assassins. Arrivé directement en face d'Ymor, il déclara : « Je viens pour le touriste.

— C'est une affaire qui te concerne, Zlorf ?

— Oui. Grinjo, Urmond… attrapez-le. »

Deux assassins s'avancèrent. Stren se trouva soudain devant eux, et son épée donna l'impression de se matérialiser à quelques centimètres de leur gorge sans avoir dû franchir l'espace intermédiaire.

« Je n'arriverai peut-être à tuer qu'un seul de vous deux, murmura-t-il, mais je vous suggère de vous demander : lequel ?

— Regarde là-haut, Zlorf », fit Ymor.

Une rangée de prunelles jaunes maléfiques suivaient la scène depuis l'ombre des chevrons.

« Un pas de plus, et vous repartez d'ici avec moins d'yeux qu'en arrivant, dit le maître voleur. Alors assieds-toi et bois un coup, Zlorf, et discutons entre

73

gens raisonnables. Moi, je croyais qu'on avait passé un accord. Tu ne voles pas, je ne tue pas. Pas pour de l'argent, j'entends », ajouta-t-il après une pause.

Zlorf prit la bière qu'on lui tendait.

« Et alors ? fit-il. Je le tue. Et après, toi, tu le voles. C'est lui, ce type à l'air bizarre, là-bas ?

— Oui. »

Zlorf fixa Deuxfleurs qui lui répondit par un grand sourire. Il haussa les épaules. Il perdait rarement son temps à se demander pourquoi des gens voulaient en faire assassiner d'autres. C'était comme ça qu'il gagnait sa vie, voilà tout.

« Qui c'est, ton client, si je puis me permettre ? » demanda Ymor.

Zlorf leva la main. « Je t'en prie, protesta-t-il. C'est contraire aux usages de la profession.

— Bien sûr. Au fait…

— Oui ?

— Je crois que j'ai deux gardes dehors…

— Tu avais.

— Et quelques autres sous le porche en face, dans la rue…

— C'était avant.

— Et deux archers sur le toit. »

Une ombre de doute passa fugitivement sur la figure de Zlorf, comme le dernier rayon du soleil sur un champ mal labouré.

La porte s'ouvrit à la volée, esquintant sérieusement l'assassin qui se tenait auprès.

« Arrêtez de faire ça ! » brailla Dularge sous sa table.

Zlorf et Ymor levèrent les yeux vers la silhouette sur le seuil. Elle était courtaude, grasse et richement vêtue. Très richement vêtue. Un certain nombre d'autres silhouettes, grandes et massives, se dressaient derrière elle. Très grandes, et *très menaçantes*, celles-là.

« C'est qui, ça ? demanda Zlorf.

— Je le connais, répondit Ymor. Il s'appelle Rerpf. Il tient la taverne du Plat Ras-bord, près du pont d'Airain. Stren… liquide-le. »

Rerpf leva une main couverte de bagues. Stren Withel, à mi-chemin de la porte, hésita en voyant plusieurs trolls impressionnants se baisser pour franchir le seuil et venir se placer de chaque côté du gros bonhomme en clignant des yeux dans la lumière. Des muscles façon melons saillaient sur des avant-bras comme des sacs de farine. Chaque troll tenait une hache à double tranchant. Entre le pouce et l'index.

Dularge jaillit de son abri, la figure convulsée de rage.

« Dehors ! hurla-t-il. Faites-moi sortir ces trolls ! »

Personne ne bougea. Le silence tomba soudain dans la salle. Dularge lança un regard rapide autour de lui.

Il prit peu à peu conscience de ce qu'il venait de dire, et à qui. Un gémissement s'échappa de ses lèvres, ravi de prendre la clé des champs.

L'aubergiste atteignit la porte de la cave au moment même où un troll, d'un petit mouvement vif et négligent de sa main comme un jambon, lançait sa hache qui tournoya à travers la taverne. Le claquement de la porte et le bruit du battant qui se fendit dans la foulée se confondirent.

« Bordel de merde ! s'exclama Zlorf Pied-de-Flanelle.

— Qu'est-ce que vous voulez ? demanda Ymor.

— Je suis ici au nom de la Guilde des Marchands et Négociants, répondit Rerpf d'un ton uni. Pour protéger nos intérêts, pourrait-on dire. Je veux parler du petit homme. »

Ymor fronça les sourcils.

« Je regrette, fit-il. J'ai cru vous entendre mentionner la Guilde des Marchands ?

— Et des Négociants », convint Rerpf. Dans son dos à présent, en plus d'autres trolls se pressaient plusieurs humains qu'Ymor reconnaissait vaguement. Il les avait sans doute vus derrière des comptoirs et des étalages. Des silhouettes floues, en général – vite ignorées, vite oubliées. Au fond de son esprit, une mauvaise impression se mit à grandir. Il songea à ce que devait ressentir, disons, un renard face à un mouton en colère. Un mouton, de surcroît, qui avait les moyens d'employer des loups.

« Puis-je vous demander depuis quand cette... Guilde existe ? fit-il.

— Depuis cet après-midi, répondit Rerpf. J'en suis le vice-maître, responsable du tourisme, voyez-vous.

— C'est quoi, votre tourisme, là ?

— Euh... on n'est pas très sûrs », répondit Rerpf. Un vieux barbu passa la tête par-dessus l'épaule du maître de la guilde et caqueta : « Je parle au nom des marchands de vin de Morpork, et pour nous, le tourisme, c'est le commerce. Vu ?

— Et alors ? lâcha froidement Ymor.

— Et alors, répliqua Rerpf, on protège nos intérêts, je viens de le dire.

— De-HORS, les vo-LEURS ! De-HORS, les vo-LEURS ! » caqueta encore son vieux compagnon. Plusieurs voix reprirent le slogan. Zlorf sourit. « Et les assas-SINS », entonna le vétéran. Zlorf gronda.

« Ça tombe sous le sens, dit Rerpf. Des vols et des meurtres à tous les coins de rue... quelle image de nous les visiteurs vont-ils ramener chez eux ? Ils viennent de loin pour admirer notre belle cité, ses nombreuses curiosités historiques, son organisation municipale, toutes ses coutumes désuètes, et ils se réveillent morts dans une ruelle sombre, ou même au fil de l'Ankh. Comment vont-ils raconter à leurs amis qu'ils ont passé un séjour formidable ? Regardons les choses en face, il faut aller de l'avant avec son temps. »

Les regards de Zlorf et d'Ymor se croisèrent.

« Il le faut, non ? fit Ymor.

— Alors allons-y ensemble, collègue », confirma Zlorf. D'un seul geste, il porta sa sarbacane à ses lèvres et propulsa une fléchette qui vola en sifflant vers le troll le plus proche. Le troll pivota et projeta sa hache qui ronfla au-dessus de la tête de l'assassin pour se planter dans un voleur malchanceux derrière lui.

Rerpf se baissa afin de permettre à un troll dans son dos de lever son énorme arbalète de fer et de décocher un carreau long comme une pique vers l'assassin le moins loin. C'était parti...

Il a déjà été signalé que les individus sensibles aux radiations jusque dans l'extrême octarine – la huitième couleur, le pigment de l'Imagination – sont capables de voir ce qui demeure invisible aux autres.

C'est ainsi que Rincevent, qui traversait en hâte les bazars du soir grouillants de monde à la lueur des torches, le Bagage courant lourdement sur ses talons, Rincevent, donc, bouscula une grande silhouette sombre, se retourna pour lui balancer quelques jurons bien sentis et contempla la Mort.

C'était forcément la Mort. Personne d'autre ne se promène avec des orbites vides ; évidemment, la faux posée sur une épaule était un indice supplémentaire. Alors que le mage horrifié fixait l'apparition, deux amoureux qui riaient d'une plaisanterie intime lui passèrent carrément au travers sans avoir l'air de la remarquer.

La Mort, pour autant qu'un visage dépourvu de traits en soit capable, parut surpris[1].

« RINCEVENT ? dit-il d'une voix aussi grave et pesante que le claquement de portes de plomb, loin sous terre.

— Euh… fit le mage en tâchant d'échapper à ce regard fixe sans yeux.

— MAIS QU'EST-CE QUE TU FICHES ICI ? *(Boum, boum,* firent les dalles de cryptes dans des places fortes vermoulues sous des montagnes ancestrales…)

— Euh, pourquoi pas ? Bon, je suis sûr que vous avez des tas de choses à faire, alors si vous voulez b…

— J'AI ÉTÉ SURPRIS QUAND TU M'AS BOUSCULÉ, RINCEVENT, PARCE QUE J'AI RENDEZ-VOUS AVEC TOI CE SOIR MÊME.

— Oh, non, pas…

— ÉVIDEMMENT, LE PLUS FRUSTRANT DANS CETTE HISTOIRE, C'EST QUE JE M'ATTENDAIS À TE RETROUVER À PSEUDOPOLIS.

— Mais c'est à huit cents kilomètres d'ici !

— PAS BESOIN DE ME LE RAPPELER, TOUT LE SYSTÈME EST ENCORE EN TRAIN DE SE DÉGLINGUER, JE LE VOIS BIEN. ÉCOUTE, TU NE POURRAIS PAS, DES FOIS… ? »

Rincevent recula, les mains tendues devant lui pour se protéger. Le marchand de poisson séché d'un étal voisin observa ce cinglé avec intérêt.

« Pas question !

---

1. Au risque d'étonner le lecteur, la Mort est de sexe masculin. (NDT)

— Je pourrais te prêter un cheval très rapide.

— Non !

— Ça ne te fera pas mal du tout.

— Non ! » Rincevent pivota et prit ses jambes à son cou. La Mort le regarda partir et haussa les épaules avec amertume.

« Va te faire foutre, alors », lâcha-t-il. Il se retourna et remarqua le marchand de poisson. Avec un grondement rageur, il tendit un doigt osseux et le cœur de l'homme cessa de battre, mais il n'en tira guère de fierté.

Il se souvint alors de ce qui devait arriver plus tard ce même soir. Il serait inexact de dire que la Mort sourit, puisque n'importe comment ses traits restaient figés en un rictus calcaire. Mais il fredonna un petit air guilleret comme une fosse commune puis – ne s'arrêtant que pour abréger les heures d'un éphémère de passage et prendre une des neuf vies d'un chat tapi sous l'étal à poissons (tous les chats voient dans l'octarine) – il pivota sur ses talons et se dirigea vers le Tambour Crevé.

La rue Courte, à Morpork, est en fait une des plus longues de la ville. La rue des Filigranes croise son extrémité sens direct à la façon de la barre d'un T, et le Tambour Crevé est situé de telle sorte qu'il a vue sur toute l'enfilade de la chaussée.

À l'autre bout de la rue Courte, un parallélépipède sombre se leva sur des centaines de petites jambes et se mit à courir. Au début il se déplaça pesamment au trot, mais à mi-longueur de l'artère il filait déjà comme une flèche...

Une ombre plus sombre glissa le long d'un des murs du Tambour, à quelques mètres des deux trolls qui gardaient la porte. Rincevent transpirait. S'ils entendaient le léger tintement des bourses spécialement préparées qu'il portait à la ceinture...

Un des trolls tapa sur l'épaule de son collègue, ce qui produisit le bruit de deux cailloux cognés l'un contre l'autre. Il montra du doigt la rue sous la clarté des étoiles...

Rincevent jaillit de sa cachette, se retourna et balança son fardeau à travers la fenêtre du Tambour la plus proche.

Withel la vit arriver. La bourse décrivit une courbe à travers la salle en tournant lentement sur elle-même avant d'éclater contre le bord d'une table. La seconde suivante, des pièces d'or roulaient par terre, toupillaient, scintillaient.

Le silence se fit soudain dans la taverne, en dehors des bruits ténus de l'or et des geignements des blessés. En jurant, Withel étendit raide l'assassin avec lequel il se battait. « C'est une ruse ! s'écria-t-il. Que personne ne bouge ! »

Soixante hommes et une douzaine de trolls se figèrent, les mains tâtonnantes.

Puis, pour la troisième fois, la porte s'ouvrit à la volée. Deux trolls la franchirent précipitamment, la claquèrent derrière eux, laissèrent tomber la lourde barre en travers du panneau et dévalèrent l'escalier.

Du dehors parvint une course de pieds allant crescendo. Et, pour la dernière fois, la porte s'ouvrit. Pour tout dire, elle explosa, la grande barre de bois fusa loin dans la salle et même l'encadrement céda.

Panneau et chambranle atterrirent sur une table qui vola en éclats. Ce fut alors que les combattants pétrifiés remarquèrent qu'il y avait autre chose dans le tas de décombres : un coffre qui s'ébroua frénétiquement pour se dégager du bois en miettes.

Rincevent apparut dans l'encadrement de la porte défoncée et projeta une nouvelle grenade d'or. Elle s'écrasa contre un mur dans une pluie de pièces.

Au fond de sa cave, Dularge leva les yeux, marmonna tout seul et reprit son travail. Toute sa provision de bougies pour l'hiver d'Axe s'étalait déjà par terre avec sa réserve de petit bois. Il s'attaquait à présent à un baril d'huile de lampe.

« *Hache-sueur-rance* », grommela-t-il. De l'huile gicla et se répandit en volutes visqueuses autour de ses pieds.

Withel se ruait à travers la salle, la figure convulsée en un masque de fureur. Rincevent visa soigneusement et toucha le voleur en pleine poitrine avec une bourse d'or.

Mais voilà qu'Ymor hurlait et pointait un doigt accusateur. Un corbeau fondit de son perchoir parmi les chevrons droit sur Rincevent, les serres ouvertes et luisantes.

Il n'atteignit pas sa cible. À mi-parcours, le Bagage bondit de son tas de petit bois, béa un instant dans les airs et referma son couvercle dans un claquement.

Il retomba avec légèreté. Rincevent vit son couvercle se rouvrir, juste un peu. Assez pour qu'une langue, large comme une feuille de palmier, rouge acajou, lèche quelques plumes vagabondes.

Au même instant, le lustre géant tomba du plafond, plongeant la taverne dans la pénombre. Rincevent se ramassa comme un ressort, sauta à pieds joints, agrippa une poutre, effectua un rétablissement et se hissa dans la sécurité relative du toit avec une vigueur qui l'étonna lui-même.

« Passionnant, hein ? » fit une voix près de son oreille.

En dessous, voleurs, assassins, trolls et marchands eurent tous conscience à peu près en même temps de se trouver dans une salle que les pièces d'or rendaient traîtresse sous les pas et qui renfermait, outre les formes soudain menaçantes dans la semi-obscurité, quelque chose d'absolument horrible. Comme un seul homme, ils se précipitèrent vers la porte, hélas ils avaient une vingtaine d'avis divergents sur sa position exacte.

Loin au-dessus du chaos, Rincevent fixa Deuxfleurs.

« C'est vous qui avez coupé la lumière ? souffla-t-il.

— Oui.

— Qu'est-ce que vous fichez ici ?

— Je me suis dit qu'il valait mieux ne pas rester dans les jambes de tout le monde. »

Rincevent réfléchit. Pas grand-chose à dire à ça, lui sembla-t-il. Deuxfleurs ajouta : « Une vraie bagarre ! Mieux que tout ce que j'avais imaginé ! Je devrais les remercier, à votre avis ? Ou alors c'est vous qui avez tout arrangé ? »

Rincevent posa sur lui un regard vide. « Je crois qu'on devrait redescendre maintenant, dit-il d'une voix blanche. Ils sont tous partis. »

Traînant Deuxfleurs, il traversa la salle encombrée de débris et grimpa l'escalier. Ils émergèrent dans les tout derniers instants de la nuit. Il restait encore quelques étoiles mais la lune était couchée, et une faible lueur grise grandissait en direction du Bord. Plus important, la rue était déserte.

Rincevent renifla. « Vous ne sentez pas comme une odeur d'huile, vous ? » demanda-t-il.

C'est alors que Withel sortit de l'ombre et lui fit un croche-pied.

Au sommet de l'escalier de sa cave, Dularge s'agenouilla et farfouilla dans sa boîte d'amadou. Elle était humide.

« Je vais le tuer, ce salaud de chat », grommela-t-il, puis il chercha à tâtons la boîte de secours normalement posée sur le rebord près de la porte. Elle ne s'y trouvait pas. Le tavernier lâcha un gros mot.

Une bougie allumée apparut à mi-hauteur, tout près de lui.

« TENEZ, PRENEZ ÇA.

— Merci, fit Dularge.

— JE VOUS EN PRIE. »

Dularge allait lancer la bougie en bas des marches. Sa main s'arrêta à mi-course. Il regarda la bougie, les sourcils froncés, puis il se retourna et la leva pour éclairer la scène. Elle ne donnait pas beaucoup de lumière, mais elle fit quand même apparaître une forme dans le noir...

« Oh, non... souffla-t-il.

— EH, SI », fit la Mort.

Rincevent roula par terre.

L'espace d'un instant, il crut que Withel allait l'embrocher sur place. Mais c'était pire. L'autre attendait qu'il se relève.

« À ce que je vois, tu as une épée, le mage, dit-il

tranquillement. Je te suggère de te remettre debout, on va voir comment tu t'en sers. »

Rincevent se releva aussi lentement qu'il l'osa et tira de sa ceinture la courte épée récupérée sur le garde quelques heures et une centaine d'années plus tôt. C'était une petite babiole émoussée, comparée à la rapière de Withel, fine comme un cheveu.

« Mais je ne sais pas me servir d'une épée, gémit-il.

— Parfait.

— Vous savez qu'on ne peut pas tuer un mage avec une arme tranchante ? » lança Rincevent en désespoir de cause.

Withel eut un sourire glacial. « C'est ce que j'ai entendu dire, fit-il. J'ai hâte de vérifier ça. » Il se fendit.

Rincevent para l'attaque par un vrai coup de chance, écarta brusquement la main sous l'effet de la surprise, dévia la deuxième attaque par pur hasard, et reçut la troisième à travers sa robe au niveau du cœur.

Il y eut un tintement.

Le rugissement de triomphe de Withel lui mourut dans la gorge. Il retira l'épée et en tâta de la pointe l'homme pétrifié de terreur et de culpabilité. Il y eut un autre tintement, et des pièces d'or commencèrent à tomber en bas de la robe du mage.

« Comme ça, tu saignes de l'or, hein ? siffla Withel. Mais est-ce que tu en caches aussi dans ta barbe en broussaille, sale petit… »

Alors qu'il ramenait sa rapière en arrière pour porter le coup de grâce, la lueur menaçante qui grandissait dans l'entrée du Tambour Crevé vacilla, baissa d'intensité puis explosa en une boule de feu rugissante qui bomba les murs vers l'extérieur et souffla le toit à une trentaine de mètres dans les airs avant d'éclater au travers en une gerbe de tuiles portées au rouge.

Withel fixa le bouillonnement de flammes, déconcerté. Et Rincevent bondit. Il plongea sous la garde de son adversaire et fit décrire à sa propre lame un arc de cercle tellement mal jugé qu'elle frappa l'homme à plat et sauta d'entre les doigts du mage. Il se mit à pleuvoir des étincelles et des gouttelettes d'huile enflammée tandis que Withel tendait ses deux mains gantées, saisissait Rincevent par le cou et le forçait à tomber à genoux.

« C'est toi qui as fait ça ! s'écria-t-il. Toi et ta boîte à malices ! »

Son pouce trouva la trachée-artère de Rincevent. C'est fini, songea le mage. Où que j'aille, ça ne pourra pas être pire qu'ici...

« Excusez-moi », fit Deuxfleurs.

Rincevent sentit la pression se relâcher. Withel se redressa alors lentement ; sa figure exprimait la haine absolue.

Un charbon ardent tomba sur le mage. Il le chassa vite de la main et se releva tant bien que mal.

Derrière Withel, Deuxfleurs tenait la propre épée effilée du voleur et lui chatouillait de la pointe le creux des reins. Les yeux de Rincevent s'étrécirent. Il plongea la main dans sa robe et la ressortit, le poing fermé.

« Ne bouge pas, fit-il.

— Je fais ça comme il faut ? s'inquiéta Deuxfleurs.

— Il dit qu'il va te perforer le foie si tu bouges, traduisit librement Rincevent.

— Ça m'étonnerait, fit Withel.

— Tu paries ?

— Non. »

Alors que Withel bandait ses muscles pour se retourner contre le touriste, Rincevent envoya violemment son poing et atteignit le voleur à la mâchoire. Withel le considéra un instant avec stupeur, puis s'écroula doucement dans la boue.

Le mage déplia son poing qui le cuisait, et le rouleau de pièces d'or s'échappa d'entre ses doigts endoloris. Il baissa les yeux sur le voleur étendu à terre.

« Grands dieux », fit-il, le souffle court.

Il releva les yeux et hurla lorsqu'un autre charbon ardent lui atterrit sur la nuque. Des flammes couraient sur les toits des deux côtés de la rue. Tout autour de lui, les riverains jetaient leurs biens par les fenêtres et tiraient leurs chevaux des écuries fumantes. Une nouvelle explosion dans le volcan porté à blanc qu'était le Tambour projeta tout un dessus de cheminée en marbre qui fendit les airs au-dessus des têtes.

« C'est la porte Rétrograde la plus près ! cria Rincevent par-dessus le crépitement des poutres qui s'écroulaient. Venez ! »

Il empoigna un Deuxfleurs récalcitrant par le bras et l'entraîna avec lui dans la rue.

« Mon Bagage…

— La barbe, avec votre bagage ! Si vous restez ici plus longtemps, là où vous allez vous retrouver, vous n'en aurez pas besoin, de bagage ! Venez ! » brailla Rincevent.

Ils traversèrent au petit trot la foule apeurée qui fuyait le quartier tandis que le mage aspirait à grandes goulées l'air frais de l'aube. Quelque chose l'intriguait.

« Je suis sûr que toutes les bougies étaient éteintes, dit-il. Alors comment il a pris feu, le Tambour ?

— Je n'en sais rien, gémit Deuxfleurs. C'est affreux, Rincevent. Et on s'entendait si bien. »

Rincevent s'arrêta net de surprise, au point qu'un autre fuyard lui rentra dedans avant de repartir en tournoyant et en jurant.

« *On s'entendait si bien* ?

— Oui, une belle équipe, j'ai trouvé – la langue a posé quelques problèmes, mais ils tenaient tellement à me voir participer à leur petite fête, impossible de refuser –, vraiment de braves gens, j'ai trouvé... »

Rincevent voulut apporter quelques rectifications mais s'aperçut qu'il ne savait pas par où commencer.

« Un coup dur pour ce pauvre Dularge, poursuivit Deuxfleurs. Tout de même, il a été prévoyant. J'ai toujours le *rhinu* qu'il m'a versé comme première prime. »

Rincevent ignorait le sens du mot « prime », mais son cerveau tournait à plein régime.

« Vous avez *hache-sueuré* le Tambour ? demanda-t-il. Vous avez parié avec Dularge qu'il ne brûlerait pas ?

— Oh, oui. L'estimation standard. Deux cents *rhinus*. Pourquoi vous posez cette question ? »

Rincevent se retourna, considéra les flammes qui fonçaient vers eux et se demanda combien de quartiers d'Ankh-Morpork on pouvait acheter avec deux cents *rhinus*. Beaucoup, conclut-il. Mais pas en ce moment, pas à la vitesse où avançaient les flammes.

Il baissa les yeux sur le touriste.

« Espèce... » commença-t-il et il fouilla sa mémoire pour trouver le plus gros mot de la langue trob ; les heureux petits béTrobi ne s'y entendaient guère question jurons.

« Espèce... » répéta-t-il. Une autre silhouette pressée le bouscula, et la lame qu'elle portait sur l'épaule le manqua de peu. L'humeur massacrante de Rincevent explosa.

« Espèce de petit (comme celui qui, un anneau de cuivre dans le nez, prend un bain de pieds au sommet du mont Raruaruaha pendant un violent orage et hurle qu'Alohura, déesse de la Foudre, a la physionomie d'une racine d'uloruaha malade) !

— JE FAIS MON BOULOT, MOI, C'EST TOUT », répondit la silhouette qui s'éloigna à grands pas.

Chaque mot tomba avec le poids d'une dalle de marbre ; de plus, Rincevent était sûr que lui seul les avait entendus.

Il empoigna à nouveau Deuxfleurs.

« Tirons-nous d'ici ! » suggéra-t-il.

L'incendie d'Ankh-Morpork eut un effet secondaire intéressant, en rapport avec la *peau-lisse-d'hache-sueur-rance* : celle-ci s'envola de la ville par le toit ravagé du Tambour Crevé, fut poussée à grande altitude dans l'atmosphère du Disque-Monde par le courant ascendant thermique subséquent, et atterrit à plusieurs jours et quelques milliers de kilomètres de là sur un buisson d'uloruaha des îles béTrobi. Les insulaires, des gens simples et rieurs, en vinrent à l'adorer comme un dieu, au grand amusement de leurs voisins plus blasés. Curieusement, les pluies et les récoltes dans les années qui suivirent connurent une abondance quasi surnaturelle, ce qui poussa la faculté des religions mineures de l'Université de l'Invisible à dépêcher une équipe de chercheurs. Leur conclusion : Comme quoi, hein ?

Poussé par le vent, le feu se propagea depuis le Tambour plus vite qu'un homme au pas. Les madriers de la porte Rétrograde brûlaient déjà lorsque Rincevent l'atteignit, la figure rougie et boursouflée par les flammes. Deuxfleurs et lui se déplaçaient maintenant à cheval – ils n'avaient guère eu de mal à trouver des montures. Un marchand roublard en avait demandé cinquante fois leur valeur avant de rester bouche bée lorsqu'on lui avait fourré mille fois ce qu'ils coûtaient dans les mains.

À peine venaient-ils de la franchir que le premier gros madrier de la porte s'effondra dans une explosion d'étincelles. Morpork était déjà un chaudron de flammes.

Tandis qu'ils montaient au galop la route baignée d'une lueur rouge, Rincevent jeta un coup d'œil de côté à son compagnon de voyage, lequel s'appliquait pour l'heure à maîtriser les rudiments de l'équitation.

Bordel de merde, songea-t-il. Il est vivant ! Et moi aussi. Qui aurait cru ça ? Ça n'est peut-être pas si bête, cette histoire de *son-réfléchi-d'esprits-souterrains* ? Peu commode d'emploi, comme locution. Rincevent força sa langue à prononcer les syllabes épaisses qui formaient le mot dans l'idiome de Deuxfleurs.

« Eco-lirie ? essaya-t-il. Ecro-gnothie ? Échognomie ? »

Ça ferait l'affaire. C'était à peu près ça.

À plusieurs centaines de mètres en aval de la dernière banlieue fumante de la ville, un objet curieusement rectangulaire et apparemment lourdement imbibé d'eau aborda la boue de la rive rétrograde. Aussitôt, un grand nombre de jambes lui poussèrent qui tâtonnèrent en quête de points d'appui.

Après s'être hissé sur la berge, le Bagage, strié de

traînées de suie, maculé d'eau et très, très en colère, s'ébroua et s'orienta. Puis il s'éloigna d'un trot enlevé ; le petit diablotin incroyablement laid juché sur son couvercle contemplait le paysage avec intérêt.

Bravd regarda la Fouine et haussa les sourcils.

« Et voilà, fit Rincevent. Le Bagage nous a rattrapés, ne me demandez pas comment. Il reste du vin ? »

La Fouine souleva l'outre vide.

« Je crois que t'as assez bu pour ce soir », dit-il.

Le front de Bravd se plissa.

« L'or c'est l'or, fit-il enfin. Comment un gars bourré d'or peut-il se prendre pour un pauvre ? Soit on est pauvre, soit on est riche. Ça tombe sous le sens commun. »

Rincevent eut un hoquet. Il trouvait le sens commun plutôt difficile à appréhender. « Eh ben, dit-il, d'après moi, le fait est… eh ben, vous connaissez l'octefer ? »

Les deux aventuriers répondirent oui de la tête. L'étrange métal iridescent avait presque autant de valeur que le poirier savant dans les pays riverains de la mer Circulaire et il était quasiment aussi rare. Le possesseur d'une aiguille en octefer ne se perdait jamais, vu qu'elle indiquait toujours le Moyeu du monde grâce à son extrême sensibilité au champ magique du Disque ; elle reprisait aussi miraculeusement ses chaussettes.

« Eh ben, le fait est, vous voyez, que l'or aussi a une espèce de champ magique. Une espèce de sorcellerie financière. L'*écho-gnomie*. » Rincevent gloussa.

La Fouine se mit debout et s'étira. Le soleil était maintenant définitivement levé, et la ville gisait en dessous d'eux, enveloppée de brumes, pleine de vapeurs fétides. Et aussi d'or, se dit-il. Même un habitant de Morpork, face à la mort, abandonne ses trésors pour sauver sa peau. Il était temps d'y aller.

Le petit homme répondant au nom de Deuxfleurs avait l'air de dormir. La Fouine le regarda et secoua la tête.

« La ville nous attend ; enfin, ce qu'il en reste ! dit-il. Merci pour ta belle histoire, le mage. Tu vas faire quoi, maintenant ? » Il lança un regard au Bagage qui recula aussitôt et claqua du couvercle vers lui.

« Eh bien, maintenant on ne risque plus de trouver de bateaux pour quitter la ville, gloussa Rincevent. J'imagine qu'on va prendre la route de la côte jusqu'à Chirm. Faut que je veille sur lui, vous comprenez. Mais écoutez, c'est pas moi qui ai fait…

— Mais oui, mais oui », l'interrompit la Fouine, apaisant. Il fit demi-tour et enfourcha d'un bond le cheval que tenait Bravd. Quelques instants plus tard, les deux héros n'étaient plus que deux petits points sous un nuage de poussière qui se dirigeait vers la ville de charbon de bois plus bas.

L'air abruti, Rincevent contempla le touriste étendu par terre. Les deux touristes. Profitant de son état vulnérable, une pensée vagabonde qui parcourait les dimensions en quête d'un cerveau où s'abriter se glissa dans sa tête.

« C'est encore un joli pétrin où tu m'as mis là », gémit-il et il s'écroula à la renverse.

« Cinglé », fit la Fouine. Bravd, qui galopait à sa hauteur, approuva de la tête.

« Tous les mages finissent comme ça, dit-il. C'est

les vapeurs de mercure. Ça leur pourrit la cervelle. Les champignons, aussi.

— Pourtant... » commença son compagnon vêtu de brun. Il plongea la main dans sa tunique et en ressortit un disque d'or au bout d'une courte chaîne. Bravd leva les sourcils.

« Le mage a dit que le petit homme avait une espèce de disque d'or qui lui donnait l'heure, fit la Fouine.

— Et ç'a éveillé ta cupidité, mon petit ami ? Comme voleur, t'as toujours été un expert, la Fouine.

— Tu l'as dit », reconnut l'autre, modeste. Il toucha le bouton sur le bord de l'objet qui s'ouvrit brusquement.

Le tout petit démon emprisonné leva les yeux de son minuscule abaque et grimaça. « Il ne manque que dix minutes avant les huit heures », gronda-t-il. Le couvercle se referma sèchement et faillit pincer les doigts de la Fouine.

La Fouine lâcha un juron et balança le diseur d'heure loin dans la bruyère, où l'objet heurta sans doute un caillou. N'importe comment, quelque chose fendit le boîtier, il y eut un éclair éclatant d'octarine et une bouffée de soufre lorsque l'être du temps disparut dans la dimension démoniaque qui était son royaume.

« Pourquoi t'as fait ça ? demanda Bravd qui n'était pas assez près pour avoir entendu parler le démon.

— Fait quoi ? répliqua la Fouine. Je n'ai rien fait, moi. Il ne s'est rien passé. Viens... Des affaires en or nous passent sous le nez ! »

Bravd hocha la tête. Tous deux tournèrent leurs montures puis galopèrent vers l'antique Ankh et d'honnêtes enchantements.

DEUXIÈME PARTIE

L'AGENT DU HUIT
PROLOGUE

Le Disque-Monde offre des panoramas beaucoup plus impressionnants que ceux qu'on trouve dans des univers dus à des créateurs moins imaginatifs mais techniquement plus doués.

Le soleil du Disque n'est peut-être qu'une petite lune en orbite dont les éruptions dépassent à peine la hauteur d'arceaux de croquet, mais ce défaut mineur ne compte guère auprès du spectacle prodigieux de la Grande Tortue A'Tuin, dont finalement la carapace antique et criblée de météores supporte le Disque. Parfois, durant Sa lente progression sur les rivages de l'Infini, Elle tourne Sa tête grande comme un continent pour happer une comète de passage.

Mais le panorama sans doute le plus impressionnant – peut-être parce que la plupart des cerveaux, devant le simple gigantisme galactique d'A'Tuin, refusent d'y croire – c'est la Cataracte sans fin où les mers du Disque déferlent continuellement par-dessus le Rebord pour se jeter dans l'espace. Ou alors l'Arc-en-Bord, l'arc-en-ciel de huit couleurs qui ceinture le Disque, suspendu dans un air saturé de brume au-dessus de la Cataracte. La huitième couleur, c'est l'octarine, due à la dispersion d'une lumière solaire intense sur un champ magique puissant.

À moins, en fin de compte, que le spectacle le plus impressionnant, ce soit le Moyeu. Là, une aiguille de glace verte haute de quinze kilomètres s'élance à travers les nuages et supporte à son sommet le royaume de Dunmanifestine, le séjour des dieux du Disque. Les dieux en question, malgré la splendeur du monde sous leurs pieds, sont rarement satisfaits. Il est gênant de se savoir dieu d'un monde qui existe seulement parce que toute courbe d'improbabilité doit bien s'arrêter quelque part ; surtout quand on a l'occasion de jeter des coups d'œil dans d'autres dimensions sur des mondes dont les créateurs étaient moins imaginatifs que techniquement doués. Pas étonnant, dans ces conditions, que les dieux du Disque consacrent davantage de temps aux chamailleries qu'à l'omniscience.

Ce jour-là, Io l'Aveugle, chef des dieux à force de vigilance constante, était assis, le menton dans la main, et considérait le plateau de jeu sur la table de marbre rouge devant lui. Il devait son nom à une particularité : là où auraient dû se trouver ses orbites il n'y avait rien d'autre que deux surfaces de peau nue. Ses yeux, qu'il possédait en nombre impressionnant, menaient une existence semi-indépendante. Plusieurs d'entre eux flottaient pour l'heure au-dessus de la table.

Le plateau de jeu représentait une carte du Disque-Monde soigneusement sculptée, divisée en cases dessinées par-dessus. Des figurines joliment exécutées occupaient certaines de ces cases. Un observateur humain aurait, par exemple, reconnu dans deux d'entre elles Bravd et la Fouine. D'autres encore personnifiaient des héros et des champions dont le Disque avait une provision plus que suffisante.

Restaient en jeu Io, Offler le dieu crocodile, Zéphyr le dieu des brises légères, le Destin et la Dame. Une atmosphère de concentration baignait le plateau maintenant qu'on avait sorti les moins bons joueurs de la partie. Le Hasard avait été dans les premiers éliminés : il avait précipité son héros dans une pleine maison de gnolls armés (résultat d'un heureux coup de dés d'Offler) et, peu après, la Nuit avait encaissé ses jetons, prétextant un rendez-vous avec la Fatalité. Plusieurs divinités mineures s'étaient nonchalamment rapprochées et regardaient par-dessus les épaules des joueurs.

On avait lancé des paris que la Dame serait la prochaine à quitter la table. Son dernier champion à peu près valable n'était plus qu'une pincée de potasse dans les ruines encore fumantes d'Ankh-Morpork, et il ne lui restait plus guère de pièces dignes d'une promotion en première ligne.

Io l'Aveugle saisit le cornet, un crâne dont on avait bouché les orifices avec des rubis, et, plusieurs de ses globes oculaires fixés sur la Dame, il fit un triple cinq.

Elle sourit. C'était dans la nature des yeux de la Dame : d'un vert brillant, sans iris ni pupille, ils luisaient de l'intérieur.

Le silence se fit dans la salle lorsqu'elle fouilla dans sa boîte de pièces et qu'elle en tira deux du fin fond, qu'elle posa sur le plateau avec un claquement sans appel. Les autres joueurs, comme un seul dieu, tendirent le cou en avant pour les examiner.

« Un mave wenégat et une efpèfe d'employé de bureau, fit Offler, le dieu crocodile, handicapé comme toujours par ses défenses. Ben, fa alors ! » D'une griffe, il poussa une pile de jetons blancs comme de l'os au milieu de la table.

La Dame eut un léger hochement de tête. Elle prit le cornet qu'elle tint avec la fermeté d'un roc, et pourtant les dieux entendaient les dés s'entrechoquer à l'intérieur. Puis elle les envoya rouler sur la table.

Un six. Un trois. Un cinq.

Il se passait toutefois quelque chose avec le cinq. Sous le coup de la collision fortuite de plusieurs milliards de molécules, le dé se redressa sur un angle, tourna doucement sur lui-même et retomba pour donner un sept.

Io l'Aveugle saisit le dé et en compta les faces.

« Allez, dit-il d'une voix lasse. Arrête de tricher. »

L'AGENT DU HUIT

La route qui conduit d'Ankh-Morpork à Chirm serpente, toute blanche, en altitude, ruban de trente lieues parsemé de nids de poules et de rochers à demi enfouis qui s'enroule autour des montagnes, plonge dans des vallées vertes et fraîches de citronniers, franchit des gorges envahies de lianes sur des ponts de corde grinçants et s'avère dans l'ensemble plus pittoresque que franchement utile.

Pittoresque. Un mot nouveau pour le mage Rincevent (diplôme de magie, Université de l'Invisible [recalé]). Un parmi tous ceux qu'il avait appris depuis son départ des décombres calcinés d'Ankh-Morpork. « Désuet » en était un autre. « Pittoresque » voulait dire – avait-il conclu après une observation minutieuse du paysage qui poussait Deuxfleurs à employer cet adjectif – que le coin était horriblement vertigineux. « Désuet », employé pour qualifier un village qu'il leur arrivait de traverser, voulait dire ravagé par les fièvres et en ruine.

Deuxfleurs était un touriste, le premier jamais vu sur le Disque-Monde. « Touriste », avait conclu Rincevent, voulait dire idiot.

Tandis qu'ils chevauchaient tranquillement dans l'air

embaumant le thym et bruissant d'abeilles, Rincevent médita sur les événements des derniers jours. Tout cinglé que fût à l'évidence le petit étranger, il était par ailleurs généreux et nettement moins mortel que la moitié des gens que Rincevent avait fréquentés en ville. Le mage l'aimait plutôt bien. Le contraire aurait équivalu à donner un coup de pied à un chiot.

Pour l'instant, Deuxfleurs manifestait un grand intérêt pour la théorie et la pratique de la magie.

« Tout ça me semble... eh bien, plutôt inutile, fit-il. J'ai toujours cru, vous voyez, qu'un mage n'avait qu'à prononcer une formule magique, et puis voilà. Sans tout ce par cœur assommant. »

Rincevent en convint, l'air maussade. Il essaya d'expliquer que la magie avait autrefois existé sous une forme plus sauvage et anarchique, mais que, dans la nuit des temps, les Anciens l'avaient domestiquée et soumise, entre autres choses, à la loi de la Conservation de la Réalité ; laquelle loi exigeait que l'effort nécessaire pour obtenir un résultat reste le même quels que soient les moyens mis en œuvre. Ce qui signifiait, en termes concrets, qu'il était relativement facile de créer l'illusion, disons, d'un verre de vin, puisqu'il suffisait de modifier subtilement les jeux de la lumière. D'un autre côté, soulever un véritable verre de vin d'un mètre ou deux dans les airs par la seule énergie mentale requérait plusieurs heures de préparation méthodique si le mage voulait éviter que le simple principe du levier ne lui expulse la cervelle par les oreilles.

Il poursuivit en ajoutant qu'on trouvait encore la magie ancienne à l'état brut, reconnaissable – pour un œil initié – à la trace octuple qu'elle laissait dans la structure cristalline de l'espace-temps. Il y avait par exemple un métal, l'octefer, et un gaz, l'octigène.

Tous deux émettaient quantité de radiations dange-
reuses d'enchantement brut.

« Tout ça, c'est très déprimant, conclut-il.

— Déprimant ? »

Rincevent se retourna sur sa selle et lança un coup
d'œil au Bagage de Deuxfleurs, qui suivait présentement d'un pas tranquille sur ses petites jambes et
claquait de temps en temps du couvercle pour attraper
des papillons. Le mage soupira.

« Rincevent pense qu'il devrait pouvoir domestiquer
la foudre », dit le diablotin imagier qui observait la
scène depuis le seuil de la toute petite porte de la
boîte pendue au cou de Deuxfleurs. Il avait passé la
matinée à peindre des paysages pittoresques et des
décors désuets pour son maître qui lui avait accordé
une pause pour fumer une pipe.

« Quand je dis "domestiquer", je ne veux pas dire
domestiquer, répliqua sèchement Rincevent. Je veux
dire… ben, je veux dire que… je ne sais pas, je n'arrive pas à trouver les mots. Je crois seulement que le
monde devrait être comme qui dirait mieux organisé.

— Pas très réaliste comme idée, fit Deuxfleurs.

— Je sais. Tout le problème est là. » Rincevent
soupira encore une fois. C'était bien beau de parler de
logique pure, de prétendre que la logique et l'harmonie
des nombres régissaient l'Univers, mais la vérité vraie,
c'était que le Disque traversait manifestement l'espace
sur le dos d'une tortue géante et que les dieux avaient
la manie de passer chez les athées pour casser les
carreaux de leurs fenêtres.

Il y eut un tout petit bruit, à peine plus fort que le
bourdonnement des abeilles dans le romarin au bord
de la route. Il avait une sonorité bizarrement osseuse,
comme des crânes qu'on ferait rouler ou un cornet à

dés qu'on agiterait. Rincevent regarda autour de lui. Personne en vue.

Pour une raison inconnue, il s'en inquiéta.

Une petite brise se leva, qui s'enfla et retomba le temps de quelques battements de cœur. Elle laissa le monde inchangé à quelques détails intéressants près.

Au milieu de la route, par exemple, se dressait maintenant un troll des montagnes de cinq mètres. Il était extrêmement en colère. Ceci en partie parce que les trolls le sont la plupart du temps, mais par-dessus le marché la téléportation aussi soudaine qu'instantanée qu'il venait de subir depuis sa tanière des monts Rammerorck à cinq mille kilomètres de là et mille mètres plus près du Bord avait fait monter sa température interne à un niveau critique, conformément aux lois de la conservation de l'énergie. Il découvrit donc ses crocs et chargea.

« Quelle étrange créature, remarqua Deuxfleurs. Elle est dangereuse ?

— Seulement pour les gens ! » cria Rincevent. Il tira son épée et, d'un mouvement souple du bras par en dessus, manqua complètement le troll. La lame s'enfonça dans la bruyère en bordure de piste.

On entendit un tout petit bruit, comme un claquement de vieilles dents.

L'épée cogna un rocher dissimulé dans la bruyère – dissimulé avec tant d'adresse, aurait estimé un observateur, que personne n'aurait soupçonné sa présence un instant plus tôt. Elle rejaillit dans un bond de saumon et, à mi-ricochet, plongea profondément dans la nuque grise du troll.

La créature grogna ; d'un grand coup de griffe elle laboura le flanc de la monture de Deuxfleurs qui hennit, s'emballa et fonça parmi les arbres bordant le chemin. Le troll pivota sur lui-même et voulut attraper Rincevent.

C'est alors que son système nerveux apathique l'informa qu'il était mort. Il parut surpris l'espace d'une seconde, puis il s'écroula et vola en gravillons (les trolls étant des formes de vie siliceuses, leur corps retourne instantanément à l'état de caillou à l'instant de leur trépas).

Aaargl, songea Rincevent au moment où son cheval se cabrait de terreur. Il s'accrocha désespérément tandis que l'animal titubait sur deux pattes au milieu du chemin puis, en hennissant, voltait et s'engouffrait au galop dans les bois.

Le martèlement des sabots mourut peu à peu ; ne restèrent plus que le bourdonnement des abeilles et le bruissement intermittent des ailes de papillons. Il s'y mêlait aussi autre chose, un bruit bizarre sous le soleil éclatant du midi.

On aurait cru entendre des dés.

« Rincevent ? »

Les longues allées d'arbres répercutèrent en écho la voix de Deuxfleurs avant de la lui renvoyer, sans réponse. Il s'assit sur un rocher et se mit en devoir de réfléchir.

Premièrement, il était perdu. C'était contrariant mais il ne s'en inquiétait pas outre mesure. La forêt lui semblait plutôt intéressante, elle devait abriter des elfes ou des gnomes, peut-être même les deux. Pour tout dire, deux ou trois fois, il avait cru apercevoir entre les branches des arbres d'étranges visages verts qui l'observaient. Deuxfleurs avait toujours rêvé de voir un elfe. En réalité, ce qu'il voulait vraiment voir, c'était un dragon, mais un elfe ferait l'affaire. Ou un véritable gobelin.

Son Bagage avait disparu, et ça, c'était ennuyeux. Il commençait en plus à pleuvoir. Il se tortilla, mal à l'aise, sur la pierre humide et tâcha de voir le bon côté des choses. Par exemple, durant sa course éperdue, son cheval emballé avait traversé des buissons et dérangé une ourse et ses petits, mais il avait pris le large avant que la bête ait pu réagir. Puis il avait soudain piétiné au galop les corps endormis d'une grosse meute de loups, et là encore, sa vitesse folle lui avait permis de laisser les jappements de rage loin derrière. Cependant, le jour s'avançait, et ce serait peut-être une bonne idée – songea Deuxfleurs – de ne pas traîner à découvert. Il trouverait peut-être un… il se creusa la cervelle, s'efforça de se rappeler quel genre de gîte les forêts offraient traditionnellement… peut-être une maison en pain d'épice, quelque chose dans ce goût-là ?

La pierre était vraiment inconfortable. Deuxfleurs baissa les yeux et, pour la première fois, remarqua l'étrange motif sculpté.

On aurait dit une araignée. Ou alors un calmar ? La mousse et les lichens estompaient en partie les détails précis. Mais non les runes gravées en dessous. Deuxfleurs les lut sans peine, et elles disaient : « Voyageur, le temple accueillant de Bel-Shamharoth se trouve à mille pas en direction du Moyeu. » Voilà une chose curieuse, s'aperçut le touriste : il arrivait à lire le message alors que les lettres lui en étaient totalement inconnues. D'une façon ou d'une autre, l'information lui parvenait au cerveau sans l'astreinte fastidieuse de passer par les yeux.

Il se leva et détacha d'un jeune arbre son cheval désormais docile. Il n'était pas sûr de la direction du Moyeu mais il crut distinguer comme une vieille piste qui s'éloignait entre les arbres. Ce Bel-Shamharoth semblait vouloir se donner du mal pour aider les voyageurs en perdition. N'importe comment, c'était ça ou les loups. Deuxfleurs hocha la tête d'un air décidé.

Il est intéressant de noter que, quelques heures plus tard, deux loups qui suivaient la trace de Deuxfleurs arrivèrent dans la clairière. Leurs yeux verts tombèrent sur l'étrange motif octopode – qui pouvait effectivement représenter une araignée ou une pieuvre, voire autre chose résolument plus étrange – et ils décidèrent qu'ils n'avaient pas si faim que ça, tout compte fait.

À cinq kilomètres de là, un mage recalé pendait par les mains à une haute branche d'orme.

C'était l'épilogue de cinq minutes d'activité frénétique. Tout d'abord, une ourse furibarde avait déboulé des sous-bois et arraché la gorge de son cheval d'un seul coup de patte. Ensuite, alors qu'il fuyait le carnage, il avait fait irruption dans une clairière grouillante de loups enragés. Ses professeurs à l'Université de l'Invisible, que désespérait son inaptitude à maîtriser la lévitation, auraient été étonnés de voir à quelle vitesse il atteignit l'arbre le plus proche et l'escalada sans donner l'impression de le toucher.

Ne restait plus à présent que la question du serpent.

Gros et vert, il s'approchait en s'enroulant autour de la branche avec une patience toute reptilienne. Rincevent se demanda s'il était venimeux, puis il se réprimanda pour s'être posé une question aussi bête. Évidemment, tiens, qu'il était venimeux.

« Pourquoi vous souriez ? lança-t-il à la silhouette perchée sur la branche voisine.

— C'EST PLUS FORT QUE MOI, répondit la Mort. MAINTENANT, AURAIS-TU L'OBLIGEANCE DE LÂCHER PRISE ? TU NE VAS PAS ME LAISSER EN SUSPENS COMME ÇA TOUTE LA JOURNÉE.

— Je vais bien m'y laisser, moi », répliqua Rince-vent avec défi.

Les loups rassemblés autour du pied de l'arbre, la tête levée, regardaient d'un œil intéressé leur prochain repas qui parlait tout seul.

« ÇA NE TE FERA PAS MAL », dit la Mort. Si les mots avaient eu du poids, une seule de ses phrases aurait suffi pour ancrer un navire.

Les bras du mage lui hurlaient leur martyre. Il jeta un regard mauvais à la silhouette légèrement transpa-rente qui lui rappelait un vautour.

« Pas mal ? fit-il. Me faire déchiqueter par les loups, ça ne me fera pas mal ? »

Pas très loin, remarqua-t-il, une autre branche croi-sait la sienne qui s'amenuisait dangereusement. S'il arrivait seulement à l'atteindre…

Il se balança vers l'avant, une main tendue.

La branche, qui pliait déjà, ne cassa pas. Elle émit un petit bruit mouillé et se tordit.

Rincevent se retrouva alors suspendu au bout d'une langue d'écorce et de fibre qui s'allongeait à mesure qu'elle se détachait de l'arbre. Il baissa les yeux et constata avec une espèce de satisfaction fataliste qu'il allait atterrir tout droit sur le plus gros des loups.

Il se déplaçait lentement tandis que l'écorce se décollait en une bande de plus en plus longue. Le serpent l'observait d'un air songeur.

Mais la langue d'écorce tint bon. Rincevent com-mençait à se féliciter quand, levant la tête, il aperçut une chose qu'il n'avait pas remarquée jusque-là. Le plus gros nid de frelons qu'il avait jamais vu pendait en plein sur son trajet.

Il ferma les yeux très fort.

Pourquoi le troll ? se demanda-t-il. Tout le reste, ça

ne change pas de ma veine habituelle, mais pourquoi le troll ? Qu'est-ce qui se passe, à la fin ?

Clic. On aurait dit une brindille qui se casse, sauf que le bruit semblait naître dans la tête de Rincevent. *Clic, clic*. Et une brise qui ne faisait pas frémir la moindre feuille.

Le nid de frelons fut arraché à la branche lorsque la langue d'écorce arriva à son niveau. Il passa à toute vitesse tout près de la tête du mage qui le regarda rapetisser au fil de son plongeon vers le cercle de museaux levés.

Le cercle se referma soudain.

Le cercle s'élargit soudain.

Le concert de jappements douloureux de la meute qui se démenait pour échapper à l'essaim furieux rebondit en écho parmi les arbres. Rincevent eut un grand sourire idiot.

Le coude du mage cogna dans quelque chose. Le tronc de l'arbre. La bande d'écorce l'avait amené directement à la naissance de la branche. Mais il n'y avait plus d'autre branche. L'écorce lisse sous son nez n'offrait aucune prise pour les mains.

Elle offrait des mains, en revanche. Il venait d'en jaillir deux de l'écorce moussue près de lui ; des mains fines, vertes comme de jeunes feuilles. Suivit un bras joliment galbé, puis l'hamadryade se pencha complètement hors du tronc, empoigna fermement le mage stupéfait et, avec cette force végétale capable d'envoyer des racines fouiller la roche, l'attira dans l'arbre. L'écorce massive s'écarta comme une brume et se referma comme une huître.

La Mort observait, impassible.

Il jeta un coup d'œil au nuage d'éphémères qui se livraient à leur danse joyeuse et zigzagante près de son crâne. Il claqua des doigts. Les insectes s'abattirent en plein vol. Mais, quand même, ça n'était pas pareil.

Io l'Aveugle poussa sa pile de jetons sur la table, lança un regard noir par les yeux dont il disposait présentement dans la salle et sortit à grands pas. Quelques demi-dieux gloussèrent. Offler, lui, avait au moins pris la perte d'un excellent troll avec une bonne grâce solennelle, quoique reptilienne.

Le dernier adversaire de la Dame changea de siège pour s'installer en face d'elle, de l'autre côté du plateau de jeu.

« Monseigneur, fit-elle poliment.

— Madame », lui répondit-il. Leurs regards se croisèrent.

C'était un dieu taciturne. On racontait qu'il était arrivé sur le Disque-Monde à la suite d'un événement aussi terrible que mystérieux dans une autre Éventualité. C'est bien sûr le privilège des dieux que de commander à leur apparence, même vis-à-vis des autres dieux ; le Destin du Disque-Monde offrait actuellement l'aspect d'un homme affable entre deux âges, aux cheveux gris soigneusement peignés autour d'un visage auquel une jeune fille proposerait en toute confiance un verre de petite bière s'il se présentait à la porte de derrière. Le visage d'un homme qu'un jeune homme prévenant aiderait avec plaisir à franchir une barrière. Si l'on exceptait les yeux, évidemment.

Aucune divinité ne peut falsifier l'aspect ni la nature de ses yeux. Voici quelle était la nature des yeux du Destin du Disque-Monde : s'ils paraissaient à première vue tout bonnement sombres, un examen plus poussé révélait – trop tard ! – qu'il s'agissait de trouées ouvertes sur des ténèbres si lointaines, si profondes que l'observateur se sentait irrésistiblement attiré dans les deux flaques de nuit infinie et leurs horribles tourbillons d'étoiles...

La Dame toussa poliment et posa vingt et un jetons blancs sur la table. Puis elle tira de sa robe un nouveau jeton, argenté, translucide et deux fois plus grand que les autres. L'âme d'un vrai héros trouve toujours un meilleur taux de change, et les dieux l'apprécient beaucoup.

Le Destin leva un sourcil.

« Et on ne triche pas, madame, dit-il.

— Mais qui pourrait tricher avec le Destin ? » demanda-t-elle. Il haussa les épaules.

« Personne. Mais tout le monde essaye.

— Quand même, j'ai eu l'impression que vous me donniez un petit coup de pouce contre les autres, non ?

— Mais bien entendu. Ainsi la fin de partie sera plus agréable, madame. Et maintenant... »

Il plongea la main dans sa boîte de pièces et en sortit une qu'il posa sur le plateau d'un air satisfait. Les divinités spectatrices poussèrent un soupir collectif. Même la Dame en resta un instant toute déconcertée.

À coup sûr, la pièce était laide. Le travail en était incertain, comme si les mains de l'artisan avaient tremblé d'horreur à mesure que la chose prenait forme sous ses doigts réticents. Elle avait l'air constituée uniquement de ventouses et de tentacules. Et de mandibules, nota la Dame. Et d'un unique œil immense.

« Je croyais que ses semblables étaient morts au commencement des temps, dit-elle.

— Peut-être que même notre nécrotique ami répugnait à s'approcher de celui-ci », fit en riant le Destin. Il s'amusait.

« Cette chose n'aurait jamais dû être engendrée.

— Et pourtant, si », fit le Destin, sentencieux. Il ramassa les dés dans leur cornet original puis leva les yeux vers la Dame.

« À moins, ajouta-t-il, que vous ne souhaitiez abandonner… »

Elle fit non de la tête.

« Jouez, dit-elle.

— Vous pouvez égaler ma mise ?

— Jouez. »

Rincevent savait ce qu'on trouve à l'intérieur d'un arbre : du bois, de la sève, peut-être des écureuils. Pas un palais.

Pourtant… les coussins sous ses fesses étaient indubitablement plus moelleux que du bois, le vin dans le godet d'écorce à portée de sa main beaucoup plus agréable que de la sève, et il n'y avait absolument rien de commun, en dehors de quelques traces de fourrure, entre un écureuil et la fille assise en face de lui, qui s'étreignait les genoux et l'observait d'un air songeur.

La salle était vaste, haute de plafond, et baignait dans une douce lumière jaune dont Rincevent ne put identifier la source. Par des arches cagneuses et noueuses, il apercevait d'autres pièces et ce qui ressemblait à un très grand escalier tournant. Et de l'extérieur l'arbre avait paru parfaitement normal.

La jeune fille était verte – vert chair. Rincevent en était absolument sûr parce qu'en dehors d'un médaillon autour du cou, elle ne portait rien sur elle. Ses longs cheveux avaient l'air légèrement moussus. Ses yeux d'un vert lumineux n'avaient pas de pupille. Rincevent regrettait d'avoir manqué d'assiduité aux cours d'anthropologie de l'Université.

Elle n'avait pas ouvert la bouche. À part indiquer le divan et lui offrir le vin, elle n'avait fait que rester assise et le regarder, en se frottant de temps en temps une profonde éraflure sur le bras.

Rincevent se souvint aussitôt qu'une dryade était si étroitement liée à son arbre qu'elle souffrait des mêmes blessures en sympathie...

« Pardon pour ça, s'excusa-t-il à la hâte. Ce n'était qu'un accident. Je veux dire, il y avait des loups, et...

— Tu as été forcé de grimper sur mon arbre, et je t'ai sauvé, fit la dryade d'une voix doucereuse. Une chance pour toi. Et pour ton ami, peut-être ?

— Mon ami ?

— Le petit homme avec le coffre magique.

— Oh, lui, bien sûr, dit vaguement Rincevent. Ouais. J'espère qu'il va bien.

— Il a besoin de toi.

— Comme d'habitude. Lui aussi, il a trouvé un arbre ?

— Il a trouvé le temple de Bel-Shamharoth. »

Rincevent s'étrangla avec son vin. Ses oreilles cherchèrent à lui rentrer dans la tête, épouvantées par les syllabes qu'elles venaient d'entendre. Le Mangeur d'Âmes ! Avant qu'il puisse les en empêcher, les souvenirs revinrent au galop. Un jour, à l'époque où il étudiait la magie pratique à l'Université de l'Invisible, il s'était glissé pour gagner un pari dans la petite salle annexe de la bibliothèque – celle dont les murs étaient garnis de pentagrammes protecteurs en plomb, celle que personne n'avait le droit d'occuper plus de quatre minutes et trente-deux secondes, chiffre fixé après deux siècles d'expérimentation prudente...

Avec de grandes précautions, il avait ouvert le Livre enchaîné à son piédestal d'octefer au centre du sol parsemé de runes, non par peur qu'on le vole, mais de crainte qu'il ne s'échappe ; car c'était l'In-Octavo, tellement chargé de magie qu'il possédait confusément sa propre conscience. Un sortilège avait bel et bien bondi des pages crissantes pour se loger dans les recoins sombres de son cerveau. On savait qu'il s'agissait d'un des Huit Grands Sortilèges, mais nul ne saurait duquel jusqu'à ce qu'il le prononce. Même lui, Rincevent, l'ignorait. Mais il le sentait parfois se faufiler en douce hors de vue derrière son ego, attendant son heure...

La couverture de l'In-Octavo s'ornait d'une représentation de Bel-Shamharoth. Bel-Shamharoth n'était pas le Mal, car même le Mal détient une certaine vitalité ; Bel-Shamharoth était le revers de la médaille dont le Bien et le Mal n'occupent que l'avers.

« *Le Mangeur d'Âmes. Son nombre se trousve à distance esgale de sept et de neuf ; il est de deux fois quastre*, cita Rincevent, l'esprit glacé de terreur. Oh, non. Il est où, le temple ?

— En direction du Moyeu, vers le centre de la forêt, répondit la dryade. Il est très ancien.

— Mais qui serait assez bête pour adorer Bel... l'adorer, lui ? Je veux dire, des démons, d'accord, mais lui, c'est le Mangeur d'Âmes...

— Il y avait... certains avantages. Et la race qui vivait jadis par ici avait des idées bizarres.

— Et alors, il lui est arrivé quoi, à cette race ?

— J'ai dit : qui vivait jadis par ici. » La dryade se leva et tendit la main. « Viens. Je m'appelle Druellae. Suis-moi, on va voir le sort de ton compagnon. Ça devrait être intéressant.

— Je ne suis pas sûr que... » commença Rincevent.

La dryade braqua ses yeux verts sur lui.

« Tu crois que tu as le choix ? »

Un escalier tournant aussi large qu'une grand-route montait dans l'arbre, flanqué de grandes salles à chaque palier. La lumière jaune d'origine inconnue était partout. On entendait aussi un bruit comme… – Rincevent se concentra, essaya de l'identifier – comme le tonnerre ou une chute d'eau très loin.

« C'est l'arbre, expliqua la dryade, laconique.

— Qu'est-ce qu'il fait ? voulut savoir Rincevent.

— Il vit.

— Je me posais la question. Je veux dire, on est vraiment dans un arbre ? Est-ce qu'on m'a rapetissé ? De dehors, il n'avait pas l'air épais, j'aurais pu l'encercler de mes bras.

— Non, il n'est pas épais.

— Hum… mais ici, je suis à l'intérieur.

— Oui.

— Hum », refit Rincevent.

Druellae se mit à rire.

« Je lis en toi, faux mage à la noix ! Ne suis-je pas une dryade ? Ne sais-tu pas que ce que tu réduis au terme d'"arbre" n'est que l'équivalent quadridimensionnel de tout un univers multidimensionnel qui… Non, visiblement tu ne le sais pas. J'aurais dû comprendre que tu n'étais pas un vrai mage quand j'ai remarqué que tu n'avais pas de bourdon.

— L'ai perdu dans un incendie, mentit machinalement Rincevent.

— Pas de chapeau brodé de symboles magiques.

— Il s'est envolé.

— Pas d'animal familier.

— Il est mort. Écoutez, merci de m'avoir sauvé, mais si ça ne vous fait rien, je crois que je devrais

111

me sauver à mon tour. Si vous pouviez m'indiquer la sortie… »

Quelque chose dans l'expression de Druellae le fit se retourner. Trois dryades mâles se tenaient derrière lui. Ils étaient aussi nus que la femme et sans armes. Ce dernier point ne changeait rien, remarquez. Ils ne donnaient pas l'impression d'avoir besoin d'armes pour combattre Rincevent. Plutôt celle de pouvoir se frayer un chemin à coups d'épaules à travers de la roche massive et de passer à tabac un régiment de trolls par-dessus le marché. Les trois géants magnifiques baissaient sur lui des yeux de bois chargés de menace. Leur peau avait la couleur des écales de noisettes, et leurs muscles saillaient par en dessous comme des sacs de melons.

Il refit face à Druellae et lui lança un sourire piteux. La vie reprenait un tour familier.

« On ne m'a pas sauvé, hein ? dit-il. On m'a capturé, c'est ça ?

— Évidemment.

— Et vous n'allez pas me laisser partir ? » C'était une constatation.

Druellae répondit non de la tête. « Tu as blessé l'arbre. Mais tu as de la chance. Ton ami, lui, va rencontrer Bel-Shamharoth. Toi, tu vas seulement mourir. »

Deux mains lui saisirent les épaules par-derrière à la façon dont les vieilles racines d'arbres s'enroulent implacablement autour des cailloux.

« Avec une certaine pompe, bien sûr, poursuivit la dryade. Une fois que l'Agent du Huit en aura fini avec ton ami. »

Tout ce que Rincevent parvint à dire, ce fut : « Vous

savez, je n'avais jamais pensé que ça existait, des dryades mâles. Même pas dans les chênes. »

Un des géants lui sourit.

Druellae eut un grognement méprisant. « Imbécile ! Ils viennent d'où, les glands, d'après toi ? »

Il y avait un immense espace dégagé, une grande salle dont le plafond se perdait dans la brume dorée. L'escalier sans fin la traversait.

Plusieurs centaines de dryades étaient rassemblées à l'autre bout de la salle. Elles se séparèrent respectueusement à l'approche de Druellae et regardèrent sans le voir à travers Rincevent qu'on poussait sans ménagement à sa suite.

La plupart étaient des femelles, malgré la présence de quelques géants mâles parmi elles. Ils se dressaient comme des statues de divinités au milieu des femelles plus petites et intelligentes. Des insectes, songea Rincevent. L'arbre est comme une ruche.

Mais pourquoi existait-il des dryades ? Autant qu'il s'en souvenait, le peuple des arbres s'était éteint des siècles plus tôt. Les humains l'avaient supplanté au fil de l'évolution, comme ils avaient supplanté la majorité des autres espèces du Crépuscule. Seuls les elfes et les trolls avaient survécu à l'arrivée de l'homme sur le Disque-Monde ; les elfes parce qu'ils étaient somme toute trop intelligents, et le peuple troll parce qu'il montrait au moins autant de dispositions que l'homme pour la malveillance, la rancune et la cupidité. Les dryades étaient censées avoir disparu, au même titre que les gnomes et les lutins.

Le grondement en fond sonore était ici plus fort. Parfois une lueur dorée palpitante s'élevait à toute vitesse le long des parois translucides pour se perdre dans la brume au-dessus. Une quelconque puissance dans l'atmosphère la faisait vibrer.

« Ô mage incompétent, fit Druellae, contemple de la magie. Pas de ta magie domestiquée et sournoise, mais de la magie des racines et des ramures, de la magie ancienne. La magie sauvage. Regarde. »

Une cinquantaine de femelles se rassemblèrent en un groupe compact, se donnèrent la main et reculèrent jusqu'à former un grand cercle. Le reste des dryades entonna une litanie en sourdine. Puis, sur un signe de tête de Druellae, le cercle se mit à tourner dans le sens rétrograde.

Alors que le rythme s'accélérait et que les lignes mélodiques complexes commençaient à monter en puissance, Rincevent se surprit à regarder avec fascination. Il avait entendu parler de la magie ancienne à l'Université, bien qu'elle fût interdite aux mages. Il savait que si le cercle tournait assez vite en opposition avec le champ magique statique du Disque-Monde dans sa rotation lente, la friction astrale ainsi créée générerait une considérable différence potentielle qui se mettrait à la masse par une puissante décharge de la force magique élémentaire.

Le cercle n'était maintenant plus qu'une masse indistincte, et les parois de l'arbre résonnaient des échos du chant...

Rincevent sentit dans le cuir chevelu le fourmillement poisseux caractéristique qui dénonçait l'accumulation d'une charge massive de magie brute dans les environs, aussi ne fut-il pas autrement surpris lorsque, quelques secondes plus tard, un rayon de lumière octarine vive piqua du plafond invisible pour converger en crépitant au centre du cercle.

Il y forma l'image d'une colline enceinte d'arbres,

battue par la tempête, dont un temple occupait le sommet. Un temple qui produisait des effets déplaisants sur l'œil. S'il était dédié à Bel-Shamharoth, Rincevent le savait, il aurait huit côtés. (Huit était aussi le chiffre de Bel-Shamharoth, ce qui expliquait pourquoi tout mage doué de bon sens ne le prononçait jamais s'il pouvait l'éviter. Sinon vous serez gobés tout crus comme une douzaine d'huit, prévenait-on les apprentis en manière de plaisanterie. Bel-Shamharoth éprouvait une attirance toute particulière pour les amateurs de magie, lesquels, étant comme qui dirait des ramasseurs d'épaves sur les plages de l'anormal, se trouvaient déjà à moitié pris dans ses filets. Le numéro de chambre de Rincevent à la résidence universitaire avait été le 7a. Ça ne l'avait pas étonné.)

La pluie ruisselait sur les flancs noirs du temple. Seul signe de vie : le cheval attaché au-dehors, et ce n'était pas celui de Deuxfleurs. D'abord, il était trop grand. C'était un destrier blanc aux sabots larges comme des plats à viande et au harnais de cuir prétentieusement rehaussé d'or étincelant. Pour l'heure, les naseaux dans une musette, il mangeait de bon cœur.

L'animal avait un air familier. Rincevent essaya de se rappeler où il l'avait déjà vu.

On le sentait capable de grande vitesse, en tout cas. Vitesse, une fois atteinte, qu'il pouvait soutenir longtemps. Tout ce que Rincevent avait à faire, c'était se débarrasser de ses gardiens, sortir de l'arbre à coups de poings, trouver le temple et voler le cheval sous ce qui tenait lieu de nez à Bel-Shamharoth.

« L'Agent du Huit reçoit deux invités à dîner, on

dirait, fit Druellae en dévisageant Rincevent. À qui appartient cet étalon, faux mage ?

— Aucune idée.

— Non ? Bah, tant pis. On ne tardera pas à le savoir. »

Elle fit un signe de la main. Le champ de l'image se déplaça vers l'intérieur, plongea sous une grande arche octogonale et fila le long d'un couloir.

Une silhouette s'y découpait, elle se glissait à pas feutrés, le dos collé au mur. Rincevent saisit un reflet d'or et de bronze.

Aucune erreur possible sur le personnage. Le mage l'avait vu souvent. Ce torse large, ce cou comme un tronc d'arbre, cette tête étonnamment petite sous sa tignasse noire et hirsute, comme une tomate posée sur un cercueil... Il pouvait mettre un nom sur cette silhouette qui s'avançait en tapinois : Hrun le Barbare.

Hrun avait une des carrières de héros les plus longues de la mer Circulaire : tueur de dragons, pilleur de temples, mercenaire, talon ouvrier de toutes les bagarres de rue. Il était même capable – à la différence de nombreux héros que connaissait Rincevent – de prononcer des mots de plus de deux syllabes pour peu qu'on lui donne du temps et peut-être un ou deux indices.

Rincevent perçut un son, à la limite de l'audible. On aurait dit des crânes dévalant les marches d'un lointain cachot. Il lança un coup d'œil en coin à ses gardes pour voir s'ils l'avaient entendu.

Ils portaient toute leur attention limitée sur Hrun, lequel, il faut le reconnaître, était bâti sur le même modèle qu'eux. Leurs mains reposaient légèrement sur les épaules du mage.

Rincevent se baissa, se jeta en arrière comme un

acrobate et se releva en courant. Il entendit Druellae crier dans son dos et il redoubla de vitesse.

Quelque chose saisit son capuchon qui se déchira. Une dryade mâle postée en haut de l'escalier écarta largement les bras et se fendit d'un sourire de bois à l'adresse du fuyard qui lui fonçait dessus. Sans ralentir, Rincevent se baissa encore, si bas que son menton se retrouva au niveau des genoux, tandis qu'un poing comme une bûche lui sifflait à l'oreille.

Devant lui attendait tout un bouquet d'hommes-arbres. Il pivota sur place, esquiva un nouveau coup de poing du garde ahuri et revint à toute vitesse vers le cercle, croisant au passage les dryades lancées à sa poursuite et les laissant aussi chamboulées qu'un jeu de quilles.

Mais, plus loin, d'autres mâles plus nombreux se frayaient un chemin vers lui à travers le groupe de femelles et tapaient du poing dans leurs paumes calleuses, l'air concentrés sur ce qui allait suivre.

« Ne bouge plus, faux mage », ordonna Druellae en s'avançant. Derrière elle, les danseuses enchantées continuaient de tournoyer ; l'image focalisée du cercle dérivait maintenant le long d'un couloir éclairé de violet.

Rincevent n'y tint plus.

« Ça suffit comme ça ! gronda-t-il. Entendons-nous bien, vu ? Je suis un vrai mage ! » Il tapa du pied avec irritation.

« Ah bon ? fit la dryade. Alors voyons comment tu lances un sortilège.

— Euh… » commença Rincevent. En vérité, depuis que l'ancien et mystérieux sortilège avait élu domicile dans sa tête, il était incapable de se rappeler même un charme aussi élémentaire que, disons, tuer des cancre-lats ou se gratter le bas du dos sans les mains. Les mages de l'Université de l'Invisible y avaient tenté d'expliquer le phénomène en suggérant que la mémorisation involontaire du sortilège avait, en quelque sorte, monopolisé toutes ses cellules de rétention de sorts. Durant une période de grand cafard, Rincevent avait trouvé sa propre explication sur les raisons qui poussaient même les sortilèges mineurs à lui sortir de la tête au bout de quelques secondes.

Ils ont la trouille, avait-il conclu.

« Euh… répéta-t-il.

— Un petit fera l'affaire », dit Druellae en le regardant retrousser les lèvres, au comble de la colère et de l'embarras. Elle fit un signe, et deux dryades mâles s'approchèrent.

Le Sortilège choisit cet instant pour enfourcher d'un bond la conscience temporairement abandonnée de Rincevent. Le mage le sentit qui lui lançait un coup d'œil mauvais.

« Je connais bien un sortilège, fit-il d'une voix lasse.

— Oui ? Vas-y, je t'en prie », l'encouragea Druellae.

Rincevent n'était pas sûr d'en avoir le courage, alors que le Sortilège essayait de prendre les commandes de sa langue. Il résista.

« Bous abez dit gue bous bouviez lire dans bon esbrit, marmonna-t-il. Alors, lisez. »

Elle s'avança en le regardant d'un air moqueur dans les yeux.

Son sourire se figea. Les mains levées pour se protéger, elle recula, ramassée sur elle-même. Sa gorge laissa échapper un son de pure terreur.

Rincevent lança un coup d'œil circulaire. Les autres dryades reculaient aussi. Qu'avait-il fait ? Quelque chose d'horrible, apparemment.

Mais il le savait par expérience, ce n'était qu'une

question de temps avant que l'Univers retrouve son équilibre normal et recommence à le harceler. Il s'éloigna à reculons, se baissa brusquement entre les dryades qui tournoyaient toujours pour créer le cercle magique et attendit de voir la réaction de Druellae.

« Emparez-vous de lui, s'écria-t-elle. Emmenez-le loin de l'arbre et tuez-le ! »

Rincevent se retourna et fonça.

À travers l'image au centre du cercle.

Il y eut un éclair éblouissant.

Il y eut une obscurité soudaine.

Il y eut une ombre violette, dont la forme rappelait vaguement Rincevent, qui diminua jusqu'à devenir un point avant de s'évanouir.

Il n'y eut plus rien du tout.

Hrun le Barbare se glissait silencieusement le long des couloirs éclairés d'une lumière si violette qu'elle en était presque noire. Son désarroi initial l'avait quitté. Il s'agissait manifestement d'un temple magique, ce qui expliquait tout.

Par exemple pourquoi, plus tôt dans l'après-midi, il avait aperçu un coffre au bord de la piste tandis qu'il traversait à cheval cette forêt enténébrée. Le couvercle ouvert, engageant, laissait voir une grande quantité d'or. Mais lorsque Hrun avait sauté à terre pour s'en approcher, des jambes lui avaient poussé et il s'était sauvé au petit trot entre les arbres pour s'arrêter à nouveau quelques centaines de mètres plus loin.

Maintenant, après plusieurs heures de poursuite facétieuse, Hrun l'avait perdu dans ces tunnels à l'éclairage infernal. Dans l'ensemble, ni les sculptures désagréables ni les squelettes disloqués qu'il croisait parfois ne lui faisaient grand-peur. En partie parce qu'il alliait une intelligence exceptionnellement banale à une imagination exceptionnellement déficiente, mais aussi parce que les sculptures bizarres et les tunnels périlleux relevaient de la routine. Il passait le plus clair de son temps dans des situations de ce genre, en quête d'or, de démons, de vierges en détresse, qu'il soulageait respectivement de leur propriétaire, de leur vie et d'au moins une des raisons de leur détresse.

Observons Hrun, tandis qu'il bondit comme un chat devant l'ouverture d'un tunnel suspect. Même dans cette lumière violette, sa peau a des reflets cuivrés. Il porte beaucoup d'or sur lui, sous forme d'anneaux aux poignets et aux chevilles, mais sinon il est nu en dehors d'un pagne en léopard. Il en a dépossédé son propriétaire dans les forêts humides des terres d'Howonda après l'avoir tué avec les dents.

Dans la main droite il tient Kring, l'épée noire magique forgée dans la foudre, dotée d'une âme mais allergique à tout fourreau. Hrun l'a volée trois jours plus tôt dans le palais inexpugnable de l'archimandrite de B'Ituni et il le regrette déjà. Elle commence à lui porter sur le système.

« Je te dis qu'il a filé dans le dernier tunnel à droite, souffla Kring d'une voix qui rappelait le raclement d'une lame sur de la pierre.

— Tais-toi !

— Tout ce que j'ai dit, c'est…

— La ferme ! »

Quant à Deuxfleurs…

Il était perdu, il le savait. Soit il se trouvait dans un bâtiment beaucoup plus grand qu'il n'y paraissait, soit il avait accédé à un vaste niveau souterrain sans avoir descendu de marches, soit – comme il commençait à le soupçonner – les dimensions intérieures de la construction violaient une règle assez fondamentale de l'architecture en excédant largement les dimensions extérieures. Et pourquoi toutes ces lumières étranges ? Des cristaux à huit faces encastrés à intervalles réguliers dans les murs et le plafond dispensaient une lueur plutôt déplaisante qui soulignait l'obscurité davantage qu'elle ne l'éclairait.

Et l'auteur de ces sculptures sur le mur, songea charitablement Deuxfleurs, devait sûrement abuser de la boisson. Depuis des années.

Par ailleurs, c'était un bâtiment véritablement fascinant. Ses architectes avaient manifesté une obsession pour le chiffre huit. Le sol était une mosaïque ininterrompue de dalles octogonales, les murs et les plafonds des couloirs étaient inclinés de façon à présenter une ouverture à huit pans, et, là où la maçonnerie s'était affaissée, Deuxfleurs remarqua que même les moellons avaient huit côtés.

« J'aime pas ça, fit le diablotin imagier depuis sa boîte accrochée au cou du touriste.

— Pourquoi donc ?

— C'est bizarre.

— Mais tu es un démon. Les démons ne trouvent rien bizarre. Je veux dire, qu'est-ce qui est bizarre pour un démon ?

— Oh, tu sais bien, répondit prudemment le démon qui jetait à la ronde des coups d'œil inquiets et se déplaçait d'une griffe sur l'autre. Des trucs. Des machins. »

Deuxfleurs posa sur lui un regard sévère. « Quels machins ? »

Le démon toussa nerveusement (les démons ne respirent pas ; cependant, toute créature intelligente, qu'elle respire ou non, tousse nerveusement à certains moments de son existence. Et dans le cas du démon, ce moment était arrivé).

« Oh, des trucs, répondit-il d'un air pitoyable. Des trucs maléfiques. Des trucs dont on cause pas, voilà ce que j'essaye de te faire comprendre, maître. »

Deuxfleurs secoua la tête avec lassitude. « Je regrette que Rincevent ne soit pas là, dit-il. Il saurait quoi faire.

— *Lui ?* ricana le démon. J'vois mal un mage mettre les pieds ici. Ils peuvent pas avoir de rapport avec le chiffre huit. » Le démon se claqua la main sur la bouche d'un air coupable.

Deuxfleurs leva les yeux vers le plafond.

« Qu'est-ce que c'est ? demanda-t-il. Tu n'as pas entendu ?

— Moi ? Entendu ? Non ! rien du tout ! » soutint le démon. Il rentra en vitesse dans sa boîte et claqua la porte. Deuxfleurs donna de petits coups dessus. La porte s'entrebâilla.

« On aurait dit une pierre qui bougeait », expliqua-t-il. La porte se referma violemment. Deuxfleurs haussa les épaules.

« La bâtisse tombe sans doute en ruine », dit-il tout seul. Il se releva.

« Dites ! cria-t-il. Il y a quelqu'un ? »

QU'UN, Qu'un, qu'un, répondirent les tunnels ténébreux.

« Hé ho ? » essaya-t-il.

HO, Ho, ho.

« Je sais qu'il y a quelqu'un. Vous jouez aux dés, je viens de vous entendre ! »

TENDRE, Tendre, tendre.

« Écoutez, je... »

Deuxfleurs n'alla pas plus loin. Un point de lumière

vive avait brusquement éclos sous ses yeux, à quelques pas. Il grossit rapidement et, au bout de quelques secondes, prit la forme brillante et minuscule d'un homme. Il se mit alors à faire du bruit, ou, plus exactement, Deuxfleurs commença de percevoir le bruit qu'il faisait depuis le début : comme une écharde de cri coincée dans un long intervalle de temps.

L'homme irisé avait à présent la taille d'une poupée, silhouette au supplice qui dégringolait au ralenti, suspendue dans les airs. Deuxfleurs se demanda pourquoi l'expression « écharde de cri » lui était venue à l'esprit… Il commençait à le regretter.

Ça ressemblait de plus en plus à Rincevent. Le mage avait la bouche ouverte et la figure brillamment éclairée par la lumière de… de quoi ? De soleils étranges, se surprit à penser Deuxfleurs. De soleils que les hommes ne voient pas d'ordinaire. Il frissonna.

Le mage tournoyant avait désormais la moitié de sa taille humaine. À ce stade, la croissance s'accéléra, il y eut un instant de soudaine effervescence, une bouffée d'air et une explosion. Rincevent jaillit du néant en hurlant. Il tomba lourdement par terre, s'étrangla, puis exécuta une galipette, la tête entre les bras, roulé en boule.

Une fois la poussière retombée, Deuxfleurs avança prudemment la main et tapota le mage sur l'épaule. La boule humaine se tassa davantage.

« C'est moi », se présenta obligeamment Deuxfleurs. Le mage se déroula légèrement.

« Hein ? fit-il.

— Moi. »

D'un seul mouvement, Rincevent se déplia, se releva d'un bond devant le petit homme et lui empoigna désespérément les épaules. Il avait les yeux hagards, exorbités.

« Ne le dites pas ! siffla-t-il. Ne le dites pas, et on pourra peut-être sortir d'ici !

— Sortir ? Vous êtes entré comment ? Vous ne savez donc pas…

— Ne le dites pas ! »

Deuxfleurs s'écarta à reculons de ce dément.

« Ne le dites pas !

— Ne pas dire quoi ?

— Le chiffre !

— Le chiffre ? répéta Deuxfleurs. Hé, Rincevent…

— Oui, le chiffre ! Entre sept et neuf. Quatre et quatre !

— Quoi ? Hu… » Les mains de Rincevent se plaquèrent sur la bouche du touriste. « Dites-le et on est fichus. Ne réfléchissez pas, voilà. Faites-moi confiance !

— Je ne comprends rien ! » gémit Deuxfleurs. Rincevent se détendit un peu ; autant dire qu'auprès de lui une corde de violon avait encore l'air d'un bol de gélatine.

« Venez, dit-il. Essayons de sortir. Et je vais essayer de vous expliquer. »

Après le Premier Âge de la Magie, le rejet des grimoires commença à poser un sérieux problème sur le Disque-Monde. Un sortilège reste un sortilège, même emprisonné momentanément dans du parchemin et de l'encre. Il garde toute sa virulence. Il n'y a aucun risque tant que vit le propriétaire du livre, mais à sa mort le recueil de sortilèges devient une source de puissance incontrôlée qu'il est difficile de désamorcer.

Bref, les ouvrages de sortilèges ont des fuites de magie. Pour pallier ce problème, on a essayé différents systèmes. Les pays voisins du Bord ont tout bonnement lesté de pentagrammes de plomb les livres des mages défunts avant de les jeter par-dessus le Rebord.

Près du Moyeu, on s'est risqué à des systèmes moins satisfaisants. Par exemple, enfermer les manuels incriminés dans des boîtes d'octefer polarisé négativement et les couler dans les abysses insondables de la mer (on avait déjà cessé de les enfouir dans des cavernes profondes sur la terre ferme : certaines régions s'étaient plaintes d'arbres ambulants et de chats à cinq têtes), mais la magie n'avait pas tardé à s'échapper et les pêcheurs avaient fini par ne plus supporter les bancs de poissons invisibles et les palourdes télépathes.

Comme solution provisoire, dans divers centres de tradition ésotérique, on avait construit de vastes salles en octefer dénaturé, lequel est étanche à la plupart des formes de magie. On pouvait y stocker les grimoires les plus critiques jusqu'à ce que leur puissance se soit atténuée.

Voilà comment l'In-Octavo, le plus grand de tous les grimoires, précédemment la propriété du créateur de l'Univers, s'était retrouvé à l'Université de l'Invisible. C'était ce livre que Rincevent avait un jour ouvert à la suite d'un pari. Il n'avait eu qu'une seconde pour regarder une page avant de déclencher divers charmes d'alarme, mais elle avait suffi pour qu'un sortilège en bondisse et se loge dans sa mémoire comme un crapaud dans une pierre.

« Et après ? demanda Deuxfleurs.

— Oh, ils m'ont sorti de là. Et flanqué une raclée, bien entendu.

— Et personne ne sait à quoi sert le sortilège ? »

Rincevent fit non de la tête.

« Il avait disparu de la page, dit-il. Personne ne le saura tant que je ne l'aurai pas prononcé. Ou que je ne serai pas mort, évidemment. Alors il se prononcera plus ou moins tout seul. Pour ce que moi, j'en sais, il arrêtera l'Univers, ou le temps, n'importe quoi. »

Deuxfleurs lui tapota l'épaule.

« Ça ne sert à rien de broyer du noir, dit-il joyeusement. On va encore essayer de trouver une sortie. »

Rincevent secoua la tête. Il avait désormais épuisé toutes ses réserves de terreur. Son esprit avait sans doute franchi le mur de la panique pour émerger dans le calme plat qui se trouve de l'autre côté. En tout cas, il avait cessé de bredouiller.

« On est perdus, déclara-t-il. On a tourné en rond toute la nuit. Moi, je vous le dis, on est dans une toile d'araignée. On peut aller de n'importe quel côté, on finira au centre.

— C'est gentil à vous d'être venu me chercher, en tout cas, dit Deuxfleurs. Comment vous avez réussi ça, exactement ? C'était très impressionnant.

— Oh, ben… commença maladroitement le mage, je me suis seulement dit : Je ne peux pas laisser ce vieux Deuxfleurs là-bas, et…

— Alors tout ce qu'il reste à faire maintenant, c'est trouver ce Bel-Shamharoth, lui expliquer la situation, et peut-être qu'il nous laissera partir », dit le touriste.

Rincevent se passa un doigt autour de l'oreille.

« Doit y avoir des échos bizarres par ici, fit-il. J'ai cru vous entendre prononcer des mots comme *trouver* et *expliquer*.

— C'est vrai. »

Rincevent lui lança un regard noir dans la clarté mauve infernale.

« *Trouver* Bel-Shamharoth ? fit-il.

— Oui. Pas besoin de se mêler de ses affaires.

— Trouver le Mangeur d'Âmes et ne pas se mêler

de ses affaires ? On lui fait un petit salut de la tête, je suppose, et on lui demande le chemin de la sortie ? *Expliquer* la situation à l'Agent du Huignnnngh... » Rincevent ravala juste à temps la fin du mot et termina : « Z'êtes cinglé ! Hé ! *Revenez !* »

Il fonça dans le passage à la poursuite de Deuxfleurs et s'arrêta au bout d'un moment en gémissant.

Ici, la lumière violette était intense, elle colorait toute chose de teintes nouvelles et déplaisantes. Il ne s'agissait pas d'un passage mais d'une grande salle entourée de murs dont Rincevent n'osait pas évoquer le nombre, et hu... et 7a couloirs en rayonnaient.

Il vit, un peu plus loin, un autel bas à quatre-fois-deux côtés. Il n'occupait pourtant pas le centre de la salle. Ce qui l'occupait, c'était une immense dalle de pierre à deux-fois-plus-de-côtés-qu'un-carré. Elle paraissait massive. Dans la lumière étrange, elle avait l'air légèrement inclinée, et un des bords ressortait du carrelage qui l'entourait.

Deuxfleurs se tenait debout dessus.

« Hé, Rincevent ! Regardez qui est là ! »

Le Bagage arrivait tranquillement par un des couloirs qui rayonnaient de la salle.

« Formidable, dit Rincevent. Parfait. Il va pouvoir nous conduire dehors. Tout de suite. »

Deuxfleurs farfouillait déjà dans le coffre.

« Oui, dit-il. Dès que j'aurai pris quelques images. Le temps que j'installe l'accessoire...

— J'ai dit : *tout de suite...* »

Rincevent s'arrêta. Hrun le Barbare se dressait à l'entrée du couloir directement en face de lui, une grande épée noire dans sa main large comme un jambon.

« Toi ? fit Hrun, indécis.

— Ha, ha, ha ! Oui, répliqua le mage. Hrun, c'est ça ? Ça fait un bail. Qu'est-ce qui t'amène ici ? »

Hrun désigna le Bagage du doigt.

« Ça », répondit-il. Une conversation aussi longue paraissait l'épuiser. Puis il ajouta, d'un ton qui combinait prise de position, revendication, menace et ultimatum : « À moi.

— Il appartient à Deuxfleurs, là, fit Rincevent. Un conseil : n'y touche pas. »

Il lui vint à l'esprit que c'était précisément la chose à ne pas dire, mais Hrun avait déjà repoussé Deuxfleurs et tendait la main vers le Bagage…

… qui produisit des jambes, recula et souleva son couvercle d'un air menaçant. Dans la lumière incertaine, Rincevent crut distinguer deux rangées de dents monstrueuses, d'une blancheur de hêtre décoloré.

« Hrun, fit-il très vite, il y a quelque chose que je dois te dire. »

Hrun tourna vers lui une mine perplexe.

« Quoi donc ?

— C'est au sujet des nombres. Écoute, tu sais que si tu ajoutes sept et un, ou trois et cinq, ou si tu ôtes deux de dix, tu obtiens un nombre. Ne le prononce pas tant que tu es ici, et on aura peut-être une chance de tous nous en sortir vivants. Ou morts, sans plus.

— Qui est-ce ? » demanda Deuxfleurs. Dans les mains il tenait une cage, remontée des tréfonds du Bagage. Elle avait l'air pleine de lézards roses et boudeurs.

« Je suis Hrun », répondit fièrement Hrun. Puis il regarda Rincevent.

« Quoi ? fit-il.

— Tu ne le dis pas, d'accord ? » insista le mage.

Il considéra l'épée dans la main de Hrun. Elle était

noire, de ce noir qui ressemble moins à une couleur qu'à un cimetière de couleurs, et une inscription runique extrêmement ouvragée courait sur la lame. Plus évidente encore : la faible lueur octarine qui l'enveloppait. L'épée devait elle aussi avoir remarqué Rincevent, parce qu'elle se mit soudain à parler d'une voix qui rappelait le raclement d'une griffe sur du verre.

« Curieux, fit-elle. Pourquoi ne doit-il pas dire huit ? »

HUIT, Fuite, cuite répétèrent les échos. On entendit de tout petits grincements loin sous terre.

Et les échos, même s'ils s'atténuaient, refusaient de mourir. Ils rebondissaient de mur en mur, se croisaient, se recroisaient, et la lumière violette clignotait en rythme avec eux.

« Bravo ! s'écria Rincevent. Je t'avais prévenu qu'il ne fallait pas dire huit ! »

Il s'arrêta, épouvanté par ses paroles. Mais le mot était maintenant lâché et il rejoignit ses collègues dans le murmure général.

Rincevent pivota pour prendre ses jambes à son cou, mais l'atmosphère parut soudain plus épaisse que de la mélasse. Une charge de magie plus forte que tout ce qu'il avait connu s'amassait ; lorsqu'il se déplaça, dans un ralenti douloureux, ses membres laissèrent des traînées d'étincelles dorées qui dessinaient leurs contours.

Derrière lui retentit un grondement : l'immense dalle octogonale s'éleva en l'air, resta un instant suspendue sur un côté et s'effondra par terre.

Quelque chose de mince et de noir serpenta hors du puits et s'enroula autour de la cheville du mage. Il hurla en s'affalant lourdement sur le dallage frémissant. Le tentacule entreprit de le ramener.

Deuxfleurs apparut soudain dans son champ de

vision et lui tendit les mains. Il agrippa désespérément les bras du petit homme, et ils restèrent allongés là, les yeux dans les yeux. Mais Rincevent continuait quand même de glisser.

« Vous vous tenez à quoi ? demanda-t-il, haletant.

— À... à rien, répondit Deuxfleurs. Qu'est-ce qui se passe ?

— On me tire dans ce gouffre, qu'est-ce que vous croyez ?

— Oh, Rincevent, je suis navré...

— Ben, et moi, alors ! »

Il entendit un bruit de scie musicale et la pression sur ses jambes disparut d'un coup. Il tourna la tête et vit Hrun accroupi près du trou, taillant de sa lame rendue floue par la vitesse les tentacules qui se lançaient sur lui.

Deuxfleurs aida le mage à se relever et ils se tassèrent près de la pierre d'autel pour observer la silhouette frénétique aux prises avec les membres fureteurs.

« Ça ne marchera pas, dit Rincevent. L'Agent peut matérialiser des tentacules. *Qu'est-ce que vous faites ?* »

Deuxfleurs attachait fébrilement la cage des lézards amorphes à la boîte à images qu'il avait montée sur un trépied.

« Faut que je prenne une image de ça, marmonna-t-il. C'est fantastique ! Tu m'entends, lutin ? »

Le lutin imagier ouvrit sa petite écoutille, jeta un coup d'œil rapide à la scène au bord du puits et disparut dans la boîte. Rincevent bondit en sentant quelque chose lui toucher la jambe et il écrasa du talon un tentacule explorateur.

« Allez, dit-il. C'est le moment de foncer. Un seul objectif : la sortie. » Il empoigna le bras de Deuxfleurs, mais le touriste résista.

« S'enfuir et laisser Hrun avec cette chose ? » fit-il.
Rincevent resta de marbre.

« Ben quoi ? lâcha-t-il. C'est son boulot.

— Mais ça va le tuer !

— Ça pourrait être pire.

— Comment ça ?

— Ça pourrait être nous, fit observer le mage avec logique. Venez ! »

Deuxfleurs tendit le doigt. « Hé ! s'exclama-t-il. La chose a pris mon Bagage ! »

Avant que Rincevent ait pu le retenir, le touriste courut de l'autre côté du trou vers le coffre qui se faisait tirer et claquait vainement du couvercle vers le tentacule qui l'enserrait. Il se mit à lancer de furieux coups de pieds à l'appendice.

Un autre tentacule s'échappa de la mêlée qui cernait Hrun et s'enroula autour de la taille de Deuxfleurs. Hrun lui-même n'était plus qu'une masse indistincte au milieu des anneaux qui se refermaient. Sous les yeux horrifiés de Rincevent, l'épée du héros lui fut arrachée de la main et jetée contre un mur.

« Votre sortilège ! » cria Deuxfleurs.

Rincevent ne bougea pas. Il regardait la Chose qui sortait du puits. C'était un œil monstrueux, braqué directement sur lui. Le mage gémit lorsqu'un tentacule lui étreignit la taille à lui aussi.

Les paroles du sortilège montèrent dans sa gorge sans avoir été invoquées. Il ouvrit la bouche comme dans un rêve, arrondit les lèvres autour de la première syllabe cauchemardesque.

Un autre tentacule fusa comme une mèche de fouet, s'enroula autour de sa gorge et l'étrangla. Titubant et suffocant, Rincevent fut entraîné vers le puits.

Un de ses bras qui battait l'air frappa au passage la

boîte à images de Deuxfleurs sur son trépied. Il s'en saisit instinctivement, comme ses ancêtres se seraient peut-être saisis d'une pierre en rencontrant un tigre en maraude. Si seulement il avait assez d'espace pour la balancer contre l'Œil...

... l'Œil qui emplissait tout l'univers en face de lui. Rincevent sentit sa volonté lui échapper comme de l'eau à travers une passoire.

Devant lui, les lézards engourdis s'agitèrent dans leur cage sur la boîte à images. De façon absurde, comme le condamné qu'on va décapiter remarque la moindre entaille et la moindre tache sur le billot du bourreau, Rincevent vit qu'ils avaient de grosses queues d'un blanc bleuté et, s'aperçut-il, agitées de palpitations inquiétantes.

Terrorisé, alors que l'Œil l'attirait vers lui, il leva la boîte pour se protéger et entendit au même instant le diablotin imagier qui disait : « Sont quasiment mûres, maintenant, peux pas les retenir plus longtemps. Tout le monde sourit, s'il vous plaît. »

Il y eut un...

... éclair de lumière si blanc et si éclatant...

... qu'on n'aurait pas dit de la lumière.

Bel-Shamharoth hurla, d'un hurlement qui commença dans l'extrême ultrason et finit quelque part dans les entrailles de Rincevent. Les tentacules se raidirent un instant comme des bouts de bois et projetèrent leurs diverses prises autour de la salle avant de se replier en écran devant l'Œil malmené. Toute la masse plongea dans le puits et, un instant plus tard, plusieurs dizaines de tentacules saisirent la grande dalle et la rabattirent violemment en place, abandonnant à leurs convulsions un certain nombre de membres coincés sous les bords.

Hrun atterrit en roulé-boulé, rebondit sur un mur et

retomba sur ses pieds. Il récupéra son épée et se mit en devoir de trancher méthodiquement les appendices condamnés. Rincevent, étalé par terre, se concentrait pour ne pas sombrer dans la folie. Un bruit de bois creux lui fit tourner la tête.

Le Bagage, lui, avait atterri sur son couvercle arrondi. Il se balançait, furieux, et gigotait de ses petites jambes en l'air.

Prudemment, Rincevent chercha Deuxfleurs des yeux. Le petit homme gisait en un tas recroquevillé contre le mur, mais au moins il gémissait encore.

Le mage se traîna douloureusement sur le dallage et chuchota : « C'était quoi, ce putain de truc ?

— Pourquoi elles étaient si brillantes ? marmonna Deuxfleurs. Dieux, ma tête…

— Si brillantes ? » répéta Rincevent. Son regard se porta vers la cage sur la boîte à images, par terre un peu plus loin. Les lézards enfermés, nettement plus minces à présent, l'observaient avec intérêt.

« Les salamandres, gémit Deuxfleurs. L'image va être surexposée, sûrement…

— Ce sont des salamandres ? demanda Rincevent, incrédule.

— Évidemment. Accessoire de série. »

Rincevent s'approcha de la boîte en titubant et la ramassa. Il avait déjà vu des salamandres, bien entendu, mais de petits spécimens. Qui flottaient dans un bocal de saumure au musée de curiobiologie, dans les caves de l'Université de l'Invisible, depuis que leur espèce s'était éteinte autour de la mer Circulaire.

Il s'efforça de se rappeler le peu qu'il savait sur ces créatures. Elles étaient magiques. Et elles n'avaient pas de gueule, vu qu'elles vivaient exclusivement des qualités nutritives de la longueur d'onde octarine des rayons solaires sur le Disque-Monde, qu'elles absorbaient par la peau. Bien sûr, elles absorbaient du même coup le reste de la lumière solaire et la stockaient dans une poche appropriée jusqu'à ce qu'elles l'éliminent par les voies naturelles. Un désert peuplé de salamandres du Disque-Monde devenait un vrai phare la nuit.

Rincevent les reposa et hocha gravement la tête. Exposées à toute la lumière octarine du temple magique, les bestioles s'étaient gavées, puis la nature avait réclamé son dû.

La boîte à images s'éloigna furtivement sur son trépied. Rincevent lui décocha un coup de chaussure et la manqua. Il commençait à ne plus supporter le poirier savant.

Quelque chose de petit lui piqua la joue. Il le chassa d'une main irritée.

Il regarda autour de lui en entendant soudain un raclement, et une voix comme un couteau à découper taillant dans la soie susurra : « C'est très humiliant.

— La ferme », fit Hrun. Il se servait de Kring pour forcer le couvercle de l'autel. Il leva les yeux vers Rincevent et sourit. Du moins, le mage espéra que ce rictus grimaçant était un sourire.

« Puissante magie, commenta le barbare en appuyant lourdement du jambon qui lui tenait lieu de main sur la lame indignée. Maintenant on partage le trésor, hein ? »

Rincevent grogna lorsqu'un petit objet dur lui frappa l'oreille. Il y eut un souffle de vent, à peine perceptible.

« Comment tu sais qu'il y a un trésor là-dedans ? » demanda-t-il.

Hrun fit levier et réussit à introduire ses doigts sous la pierre. « On trouve des noix de bobo sous un bobotier, dit-il. On trouve des trésors sous les autels. Logique. »

Il serra les dents. La pierre bascula et s'écrasa pesamment par terre.

Cette fois-ci, quelque chose frappa violemment Rincevent à la main. Il griffa l'air et regarda ce qu'il venait d'attraper. C'était un petit caillou à cinq-plus-trois faces. Il leva la tête vers le plafond. Était-ce normal qu'il s'affaisse comme ça ? Hrun fredonnait tandis qu'il commençait à retirer du cuir en décomposition de l'autel profané.

L'air crépita, s'irisa, bourdonna. Des vents impalpables saisirent la robe du mage, la firent claquer dans des tourbillons d'étincelles bleues et vertes. Autour de sa tête, des esprits hystériques à demi formés, aspirés par les rafales, hurlèrent et bredouillèrent.

Il voulut lever une main. Elle fut aussitôt auréolée d'un halo brillant d'octarine tandis que le vent magique rugissait à ses oreilles. La bourrasque traversa la salle en trombe sans soulever un seul grain de poussière, pourtant elle retournait les paupières de Rincevent. Elle hurlait dans les tunnels et ses plaintes fantomatiques ricochaient follement de pierre en pierre.

Deuxfleurs se releva en titubant, plié en deux face à la tempête astrale.

« C'est quoi, ça, bon sang ? » cria-t-il.

Rincevent se tourna à moitié. Le vent vociférant s'empara aussitôt de lui et faillit le renverser. Des remous de poltergeists qui tourbillonnaient dans les rafales s'accrochèrent à ses pieds.

Le bras de Hrun jaillit et l'attrapa. Un instant plus tard, Deuxfleurs et lui avaient été traînés à l'abri de l'autel saccagé et haletaient, allongés par terre. Auprès d'eux, Kring, l'épée douée de la parole, étincelait, son champ magique amplifié mille fois par la tempête.

« Cramponnez-vous ! brailla Rincevent.

— Le vent ! cria Deuxfleurs. Il vient d'où ? Il va où ? » Il considéra le masque de terreur pure sur la figure de Rincevent et raffermit sa prise sur les pierres.

« On est fichus, murmura le mage, tandis qu'au dessus de leurs têtes le toit craquait et bougeait. Elles viennent d'où, les ombres ? C'est par là que le vent souffle ! »

Ce qui se passait en réalité, le mage le savait bien : l'esprit fulminant de Bel-Shamharoth, arraché aux pierres mêmes du temple, sombrait au plus profond des plans chtoniens, dans une région infernale située, selon les prêtres les plus sérieux du Disque-Monde, à la fois sous terre et dans l'Ailleurs. En conséquence, l'édifice était à présent livré aux ravages du temps qui, l'oreille basse, n'avait pas osé rôder dans les parages des millénaires durant. Aujourd'hui, le poids accumulé, soudain libéré, de toutes ces secondes réprimées pesait lourdement sur les pierres descellées.

Hrun jeta un coup d'œil en l'air aux fissures qui s'élargissaient et soupira. Puis il se fourra deux doigts dans la bouche et siffla.

Curieusement, ce son réel retentit avec force par-dessus le pseudo-tumulte du tourbillon astral qui se formait et s'élargissait depuis le centre de la grande dalle octogonale. Un écho sépulcral lui répondit qui rappelait bizarrement, se dit le mage, le rebond d'os insolites. Suivit un autre bruit qui n'avait rien d'insolite, lui. Un martèlement caverneux de sabots.

Le destrier de Hrun apparut au petit galop sous une arche gémissante et se cabra devant son maître, la crinière flottant dans la bourrasque. Le barbare se remit debout, jeta ses sacoches de butin dans un sac accroché à la selle puis se hissa sur le dos de l'animal. Il se pencha, agrippa Deuxfleurs par la peau du cou et le tira en travers de l'arçon. Tandis que le cheval voltait, Rincevent fit un bond désespéré et atterrit derrière Hrun, qui ne souleva pas d'objection.

Le cheval enfila bruyamment les tunnels d'un sabot assuré, sautant de soudaines chutes de gravats ou esquivant adroitement des moellons énormes qui s'abattaient dans un bruit de tonnerre du plafond malmené. Rincevent, résolument cramponné, regarda en arrière.

Pas étonnant que le destrier file si vite. Dans la lumière violette tremblotante le talonnaient à toute allure un gros coffre à l'air menaçant et une boîte à images qui rebondissait dangereusement sur ses trois pieds. Si grande était l'aptitude du poirier savant à suivre partout son maître qu'on taillait les biens funéraires des empereurs défunts dans son bois...

Ils émergèrent à l'air libre un instant avant que l'arche octogonale ne cède enfin pour s'écraser sur le dallage.

Le soleil se levait. Derrière eux monta une colonne de poussière lorsque le temple s'effondra sur lui-même, mais ils ne se retournèrent pas. Dommage, car Deux-fleurs aurait eu l'occasion de prendre des images peu ordinaires, même selon les normes du Disque-Monde.

Ça bougeait dans les ruines fumantes. Elles se couvraient d'un tapis vert, aurait-on dit. Puis un chêne monta en spirale, projeta sa ramure comme une fusée émeraude explosive et se retrouva au milieu d'un boqueteau vénérable avant même que l'extrémité de ses branches maîtresses aient fini de frémir. Un hêtre poussa comme un champignon, vint à maturité, pourrit et tomba en un nuage de poussière de bois parmi ses rejetons qui se démenaient pour grandir. Le temple n'était plus qu'un tas à moitié enseveli de pierres moussues.

Mais le Temps, qui avait d'abord attaqué à la gorge, entreprenait maintenant de finir le travail. L'interface en ébullition entre une magie déclinante et une entropie croissante dévala la colline dans un grondement et rattrapa le cheval au galop sans que ses cavaliers, eux-mêmes créatures du Temps, ne s'aperçoivent de rien. Et le fouet des siècles fustigea la forêt enchantée.

« Impressionnant, hein ? » fit observer une voix près du genou de Rincevent alors que le cheval traversait à une allure réduite la brume des feuilles mortes et des troncs en décomposition.

La voix avait un timbre étrangement métallique. Rincevent baissa les yeux vers l'épée Kring. Elle avait deux rubis sertis dans le pommeau. Le mage eut l'impression qu'ils le regardaient.

Depuis la lande du côté Bord de la forêt, ils suivirent la bataille entre les arbres et le Temps, bataille qui n'avait qu'une issue possible. C'était comme un spectacle de cabaret en attendant la raison principale de leur halte, à savoir l'ingestion d'une grosse portion d'un ours qui s'était imprudemment aventuré à portée de flèche de Hrun.

Rincevent observa le barbare par-dessus son quartier de viande grasse. Le Hrun qui jouait son rôle de héros, s'aperçut-il, était bien différent du Hrun buveur et bambocheur qui passait de temps en temps à Ankh-Morpork. Méfiant comme un chat, agile comme une panthère, il se sentait dans son élément comme un poisson dans l'eau.

Et j'ai survécu à Bel-Shamharoth, se souvint le mage. Incroyable.

Deuxfleurs aidait le héros à trier le trésor volé au temple. Il s'agissait surtout d'objets en argent incrustés de vilaines pierres mauves. Dans le tas figuraient en grand nombre des représentations d'araignées, de pieuvres et de l'octarsier arboricole des déserts modiaux.

Rincevent s'efforçait de fermer ses oreilles à la voix crissante près de lui. En vain.

« … et après j'ai appartenu au pacha de Re'durat, et j'ai joué un rôle capital dans la bataille du Grand Nef ; c'est là que j'ai reçu la petite entaille que vous avez peut-être remarquée vers le haut de ma lame, environ aux deux tiers de sa longueur, disait Kring depuis son domicile provisoire dans une touffe d'herbe. Un infidèle portait un collier d'octefer, ce qui est tout à fait déloyal, et bien sûr j'étais beaucoup plus affilée en ce temps-là, mon maître me faisait couper des mouchoirs de soie jetés en l'air et… Je ne vous ennuie pas ?

— Hein ? Oh, non, non, pas du tout. C'est tout à fait passionnant », fit Rincevent, les yeux toujours fixés sur Hrun. Jusqu'à quel point fallait-il lui faire confiance ? Ils étaient là, en pleine brousse, des trolls rôdaient dans le coin…

« J'ai bien vu que vous étiez quelqu'un de cultivé, poursuivait Kring. J'ai si rarement l'occasion de rencontrer des gens intéressants, de façon durable, en tout cas. Ce que j'aimerais beaucoup, c'est un joli manteau de cheminée pour qu'on m'accroche au-dessus, dans une belle maison, au calme. J'ai passé deux cents ans au fond d'un lac, une fois.

— Vous avez dû bien vous amuser, fit Rincevent, la tête ailleurs.

— Pas franchement.

— Non, j'imagine que non.

— Ce que j'aimerais être, mais alors vraiment, c'est un soc de charrue. Je ne sais pas en quoi ça consiste, mais ça me paraît une existence qui laisse une trace. »

Deuxfleurs s'approcha en hâte du mage.

« Il m'est venu une idée du tonnerre, marmonna-t-il.

— Ouais, fit Rincevent d'un ton las. Pourquoi on ne demanderait pas à Hrun de nous accompagner à Quirm ? »

Deuxfleurs eut l'air abasourdi. « Comment vous avez deviné ?

— Je me suis dit que vous alliez sûrement y penser », répondit Rincevent.

Hrun cessa de bourrer d'argenterie ses fontes de selle et leur adressa un sourire encourageant. Puis ses yeux revinrent distraitement au Bagage.

« Si on l'avait avec nous, qui oserait nous attaquer ? » demanda Deuxfleurs.

Rincevent se gratta le menton. « Hrun ? suggéra-t-il.

— Mais on lui a sauvé la vie dans le temple !

— Eh bien, si par *attaquer*, vous voulez dire *tuer*, je ne crois pas qu'il le ferait. Ce n'est pas son genre. Il se contenterait de nous dévaliser, de nous ligoter et de nous abandonner aux loups, j'imagine.

— Oh, allons donc.

— Écoutez, on est dans la vie réelle, fit sèchement Rincevent. Je veux dire, vous êtes là, vous vous trimballez avec un coffre plein d'or, alors vous ne croyez pas que n'importe qui sain d'esprit ne sauterait pas sur l'occasion de vous le faucher ? » Moi, je n'hésiterais pas, ajouta-t-il intérieurement, si je n'avais pas vu le sort que le Bagage réserve aux doigts indiscrets.

Puis la solution le frappa de plein fouet. Son regard passa de Hrun à la boîte à images. Le démon faisait sa lessive dans une toute petite bassine, pendant que les salamandres somnolaient dans leur cage.

« J'ai une idée, fit-il. Écoutez, qu'est-ce qui intéresse vraiment les héros ?

— L'or ? proposa Deuxfleurs.

— Non. Je veux dire : *vraiment ? »*

Deuxfleurs fronça les sourcils. « Je ne comprends pas bien », fit-il. Rincevent ramassa la boîte à images. « Hrun, appela-t-il. Viens donc voir par là, tu veux ? »

Les jours s'écoulèrent paisiblement. Une petite bande de trolls des ponts tenta bien en une occasion de leur tendre une embuscade, et une troupe de brigands faillit les surprendre une nuit (mais voulut imprudemment fouiller le Bagage avant de trucider les dormeurs). Hrun exigea et obtint double salaire les deux fois.

« S'il nous arrive quoi que ce soit, disait Rincevent, il n'y aura plus personne pour faire fonctionner la boîte magique. Plus d'image de Hrun, tu comprends ? »

Hrun hocha la tête, les yeux fixés sur la dernière image. Elle le montrait dans une pose héroïque, le pied sur un tas de trolls occis. « Toi, moi et le petit ami les Deux Fleurs, on s'entend tous hoquet, dit-il. Et demain, on prendra peut-être un meilleur profil, hoquet ? »

Il enveloppa soigneusement l'image dans de la peau de troll et la rangea dans ses fontes avec les autres.

« On dirait que ça marche, fit Deuxfleurs, admiratif, tandis que Hrun partait en éclaireur sur la route.

— Bien sûr, répondit Rincevent. Ce qui intéresse surtout les héros, c'est eux-mêmes.

— Vous commencez à bien vous débrouiller avec la boîte à images, vous savez ?

— Ouais.

— Alors ça vous ferait peut-être plaisir d'avoir ça. » Deuxfleurs tendit une image.

« C'est quoi ? demanda Rincevent.

— Oh, celle que vous avez prise dans le temple. »

Rincevent la regarda, horrifié. Entouré de vagues tentacules, immense, creusé de sillons en volutes, calleux, taché par les potions et flou, apparaissait un pouce en gros plan.

« Ça m'arrive tout le temps », dit-il d'une voix lasse.

« Vous avez gagné », reconnut le Destin en poussant le tas d'âmes sur le plateau de jeu. L'assemblée de dieux se détendit. « Il y aura d'autres parties », ajouta-t-il.

La Dame sourit à deux yeux comme des trous dans l'Univers.

Puis il n'y eut plus que les débris des forêts et un nuage de poussière à l'horizon qui s'éloigna au gré de la brise. Et, assise sur une borne kilométrique grêlée de trous et couverte de mousse, une silhouette noire déguenillée. Elle avait l'air de quelqu'un dont on abuse injustement de la gentillesse, qu'on redoute et qu'on craint, mais qui reste le seul ami du pauvre et le meilleur médecin des blessures mortelles.

Bien que dépourvu d'yeux, évidemment, la Mort regarda Rincevent disparaître, avec ce qui aurait été un froncement de sourcils si son visage avait bénéficié de la moindre mobilité. La Mort, pourtant débordé de travail, sans une minute à lui, décida qu'il venait de se trouver un passe-temps. Quelque chose chez le mage l'agaçait au plus haut point. Pour commencer, il ne venait jamais à ses rendez-vous.

« TOI, JE T'AURAI, DUSCHNOCK, fit-il d'une voix comme le claquement de couvercles en plomb qui se referment sur un cercueil, TU VAS VOIR. »

TROISIÈME PARTIE

L'APPEL DU WYRM

On l'appelait le Wyrmberg et elle surplombait de près de huit cents mètres la vallée verte ; une montagne immense, grise et posée à l'envers.

À sa base, elle ne mesurait pas plus de vingt mètres de diamètre. Puis elle s'élevait à travers des nuages accrochés à ses flancs, s'incurvait gracieusement vers l'extérieur comme une trompette au pavillon dressé en l'air avant d'être tronquée par un plateau d'au moins quatre cents mètres de large. Une forêt miniature le recouvrait, dont les frondaisons cascadaient par-dessus bord. On y voyait des constructions. On y trouvait même une petite rivière qui se jetait dans le vide en une cataracte tellement fouettée par le vent qu'elle arrivait au sol sous forme de pluie.

On y apercevait aussi des entrées de cavernes à quelques mètres en dessous du plateau. Elles avaient l'air grossièrement taillées, régulières, si bien qu'en cette claire matinée d'automne le Wyrmberg flottait au-dessus des nuages comme un pigeonnier géant.

Dont les « pigeons » auraient une envergure légèrement supérieure à quarante mètres.

« Je le savais, dit Rincevent. On est à l'intérieur d'un champ magique puissant. »

Deuxfleurs et Hrun parcoururent des yeux la petite cuvette où ils avaient fait leur halte du midi. Puis ils s'entre-regardèrent.

Les chevaux broutaient en silence l'herbe grasse au bord du ruisseau. Des papillons jaunes voletaient dans les buissons. Le thym embaumait et les abeilles bourdonnaient. Les cochons sauvages grésillaient doucement sur leur broche.

Hrun haussa les épaules et se remit à huiler ses biceps. Ils luisaient.

« Tout m'a l'air normal, fit-il.

— Essaie de tirer à pile ou face avec une pièce, dit Rincevent.

— Quoi ?

— Vas-y. Lance une pièce.

— Hoquet. Si ça peut te faire plaisir. » Il plongea la main dans sa bourse et sortit une poignée de menue monnaie pillée dans une dizaine de royaumes. Avec soin, il sélectionna un quart d'iote de Zchloty en plomb et le plaça en équilibre sur l'ongle violacé d'un pouce.

« Choisis, fit-il. Pile ou... – il examina le revers avec une expression de concentration intense – une espèce de poisson avec des pattes.

— Quand elle sera en l'air », dit Rincevent. Hrun sourit et donna une pichenette.

L'iote monta en tournant sur lui-même.

« La tranche », fit le mage sans regarder.

La magie ne meurt jamais. Elle s'affaiblit, c'est tout. Nulle part dans les vastes étendues bleues du

Disque-Monde cette vérité n'était plus manifeste qu'en ces lieux, autrefois le théâtre des grandes batailles des Guerres Thaumaturgiques, déclarées très peu de temps après la Création. À l'époque, la magie à l'état brut se trouvait en abondance, et les premiers hommes s'étaient empressés d'en faire usage dans leur conflit contre les dieux.

Les origines exactes des Guerres Thaumaturgiques se sont perdues dans les brumes du temps, mais des philosophes discaux s'accordent à penser que les premiers hommes, aussitôt après leur création, se sont à juste titre mis en colère. Gigantesques et pyrotechniques furent les batailles qui s'ensuivirent : le soleil traversait le ciel en tournoyant, les mers bouillaient, des tempêtes étranges ravageaient les terres, de petits pigeons blancs apparaissaient mystérieusement dans les vêtements des gens, et la stabilité même du Disque (porté dans l'espace à dos de quatre éléphants géants juchés sur une tortue) était menacée. Il en résulta une réaction brutale des Hauts Anciens, devant qui même les dieux doivent répondre. Les dieux furent bannis dans les hauteurs, les hommes recréés à une taille beaucoup plus réduite, et la majeure partie de l'ancienne magie sauvage retirée de la terre.

Ce qui ne résolut pas le problème des régions du Disque frappées de plein fouet par un sortilège au cours des guerres. La magie s'affaiblit – lentement, des millénaires durant, libérant au fil de sa décomposition des myriades de particules subastrales qui altéraient gravement la réalité environnante...

Rincevent, Deuxfleurs et Hrun considéraient la pièce de monnaie.

« Oui, c'est la tranche, fit Hrun. Ben, t'es un mage. Et après ?

— Je ne fais pas... ce genre de sortilège.

— Tu veux dire que tu ne sais pas. »

Rincevent ignora la réflexion parce que c'était vrai.

« Essaie encore », suggéra-t-il.

Hrun sortit une poignée de pièces.

Les deux premières atterrirent normalement. La quatrième aussi. La troisième atterrit sur la tranche et s'y maintint en équilibre. La cinquième se transforma en une petite chenille jaune qui déguerpit en rampant. La sixième, arrivée au zénith de sa courbe ascendante, disparut avec un *cling* sec. L'instant d'après retentit un petit coup de tonnerre.

« Hé, elle était en argent, celle-là ! s'exclama Hrun qui se dressa et leva les yeux au ciel. Rends-la-moi !

— Je ne sais pas où elle est passée, dit Rincevent d'une voix lasse. Elle continue même sûrement d'accélérer. Celles que j'ai lancées ce matin, pour voir, ne sont pas retombées, en tout cas. »

Hrun regardait toujours fixement en l'air.

« Et alors ? » fit Deuxfleurs.

Rincevent soupira. Il avait craint ce moment.

« On s'est égarés dans une zone à l'indice magique élevé, dit-il. Ne me demandez pas comment ça se fait. Autrefois, un champ magique très puissant a dû être généré par ici, et on en subit les effets secondaires.

— Exactement », fit un buisson de passage.

Hrun rabaissa la tête d'un coup.

« Tu veux dire qu'on est dans un coin comme ça ? demanda-t-il. Tirons-nous d'ici !

— C'est ça, l'approuva Rincevent. Si on retourne sur nos pas, on peut s'en sortir. On s'arrêtera tous les kilomètres, par exemple, et on jettera une pièce en l'air. »

Il se releva en vitesse et se mit à fourrer des affaires dans ses fontes.

« Et alors ? » refit Deuxfleurs.

Rincevent s'arrêta.

« Écoute, lança-t-il sèchement. On ne discute pas. Allez, viens.

— Ç'a m'a l'air normal, insista Deuxfleurs. Un peu sous-peuplé, c'est tout…

— Oui. Bizarre, hein ? Allez, viens ! »

Il y eut un bruit loin au-dessus de leurs têtes, comme une lanière de cuir claquée sur un rocher mouillé. Quelque chose de vitreux et d'indistinct survola Rincevent, soulevant du feu un nuage de cendres, et la carcasse de cochon se décrocha de la broche pour monter en flèche vers le ciel.

Elle vira pour éviter un bouquet d'arbres, se redressa, décrivit un cercle étroit en vrombissant et fila vers le Moyeu en laissant un sillage de gouttelettes brûlantes de graisse de porc.

« Qu'est-ce qu'ils font maintenant ? » demanda le vieil homme.

La jeune femme jeta un regard au miroir de divination.

« Ils se dirigent vers le Bord à vive allure, l'informat-elle. Au fait, ils ont toujours leur coffre à pattes. »

Le vieil homme lâcha un ricanement étrangement inquiétant dans la crypte sombre et poussiéreuse. « Du poirier savant, dit-il. Remarquable. Oui, je crois que nous allons mettre la main dessus. Occupe-t'en, ma

147

chère… avant qu'ils n'échappent à ton pouvoir, peut-être ?

— Silence ! Sinon…

— Sinon quoi, Liessa ? » fit le vieillard (dans la faible lumière, sa posture affaissée dans le fauteuil de pierre avait quelque chose de bizarre). « Tu m'as déjà tué une fois, tu te rappelles ? »

Elle grogna et se leva en rejetant ses cheveux en arrière d'un air méprisant. Des cheveux roux, pailletés d'or. Debout, Liessa Mandewyrm tenait de la vision de rêve. Elle était aussi presque nue, en dehors de deux véritables lambeaux d'une cotte de mailles extrêmement fine et de bottes de monte en peau de dragon irisée. Dans une des bottes était enfoncée une cravache peu courante, aussi longue qu'un javelot, à la pointe hérissée de tout petits barbillons d'acier.

« Mon pouvoir suffira largement », fit-elle, glaciale.

La silhouette indistincte parut opiner, ou du moins branler du chef. « C'est ce que tu n'arrêtes pas de me dire. » Liessa grogna encore et sortit de la salle à grands pas.

Son père ne prit pas la peine de la regarder partir. D'abord parce que depuis sa mort trois mois plus tôt, ses yeux n'étaient évidemment pas au meilleur de leur condition. Ensuite parce qu'étant mage – même mage défunt de quinzième niveau –, il avait depuis longtemps habitué ses nerfs optiques à voir dans des dimensions et sur des plans très éloignés de la réalité ordinaire, des nerfs qui ne valaient donc pas grand-chose pour observer la simple banalité. (De son vivant, ses yeux donnaient l'impression d'avoir huit faces et d'être vaguement insectoïdes.) Par ailleurs, comme il se trouvait désormais en suspension dans l'espace étroit entre le monde des vivants et celui ténébreux de la

Mort, il pouvait surveiller l'ensemble du Champ de Causalité. Voilà pourquoi, malgré le faible espoir que sa maudite fille allait enfin se faire tuer, il ne se servit pas de ses pouvoirs considérables pour en apprendre davantage sur les trois voyageurs qui tentaient désespérément de s'échapper à bride abattue de son royaume.

À plusieurs centaines de mètres de là, Liessa se sentait d'une humeur étrange tandis qu'elle descendait d'un pas énergique les marches usées qui menaient au cœur évidé du Wyrmberg, suivie par une demi-douzaine de dragonniers. Tenait-elle sa chance ? La clé pour sortir de l'impasse, la clé du trône du Wyrmberg. Le trône lui appartenait de droit, bien entendu ; mais la tradition voulait que seul un homme pût régner sur le Wyrmberg. Ce qui contrariait Liessa ; et quand la colère la gagnait, le Pouvoir coulait plus fort en elle et les dragons étaient particulièrement gros et laids.

Il suffirait qu'elle dispose d'un homme pour que tout se passe autrement. De préférence un grand costaud sans beaucoup de cervelle. Qui ferait ce qu'on lui dirait.

Le plus grand des trois qui s'enfuyaient en ce moment du pays des dragons ferait l'affaire. Et si jamais il ne convenait pas, eh bien, les dragons avaient toujours faim et il fallait les nourrir régulièrement. Elle pouvait se charger de les rendre méchants.

Plus méchants que d'habitude, en tout cas.

L'escalier passait sous une arche de pierre et se terminait sur une corniche étroite près du plafond de la grande caverne où nichaient les wyrms.

Des rayons de soleil entrant par des myriades d'ouvertures dans les parois s'entrecroisaient dans la pénombre poussiéreuse comme des tiges d'ambre où se seraient conservés des millions d'insectes dorés. En dessous, ils ne révélaient rien d'autre qu'une légère brume. Au-dessus...

Les anneaux de circulation s'étendaient par milliers sur la surface retournée du plafond de la caverne. Il avait fallu vingt ans à vingt maçons suspendus à leur ouvrage au fur et à mesure de sa progression pour enfoncer les pitons au marteau. Pourtant ce n'était rien à côté des quatre-vingt-huit anneaux majeurs regroupés près du sommet du dôme. Cinquante autres avaient jadis été perdus : alors que des équipes d'esclaves en sueur les mettaient en place (et les esclaves ne manquaient pas aux premiers temps du Pouvoir), ils s'étaient abîmés dans les profondeurs, entraînant avec eux leurs infortunés installateurs.

Mais on en avait disposé quatre-vingt-huit, immenses comme des arcs-en-ciel, rouillés comme du sang. Depuis ces anneaux...

Les dragons sentent la présence de Liessa. L'air froufroute dans la caverne au moment où quatre-vingt-huit paires d'ailes se déploient comme un puzzle tourmenté. De grandes têtes baissent vers elle leurs yeux verts à facettes multiples.

Les bêtes sont encore légèrement transparentes. Tandis que les hommes autour d'elle prennent leurs bottes à crochet au râtelier, Liessa se concentre afin d'obtenir une vision mentale d'ensemble ; au-dessus d'elle, dans l'atmosphère à l'odeur de renfermé, les dragons lui deviennent parfaitement visibles, leurs écailles de bronze renvoient sans éclat les rayons du soleil. Sa tête l'élance, mais maintenant que le Pouvoir s'écoule à plein débit, elle peut penser à autre chose sans que sa concentration fléchisse.

Elle boucle alors à son tour ses bottes puis exécute une roue gracieuse pour envoyer ses crochets, avec un petit bruit métallique, dans deux anneaux du plafond.

Seulement, il s'agit désormais du sol. Le monde a changé. Elle se tient maintenant debout au bord d'une profonde cuvette ou d'un cratère que tapissent les petits anneaux sur lesquels déambulent déjà les dragonniers d'une démarche oscillante. Au centre de la cuvette, leurs immenses montures attendent au sein du troupeau. Loin au-dessus s'étendent les rochers du fond de la caverne, décolorés par des siècles de fientes de dragons.

Du mouvement souple et glissé qui lui est une seconde nature, Liessa se dirige vers son propre dragon, Laolith, qui tourne vers elle sa grande tête chevaline. Il a les bajoues luisantes de graisse de porc.

C'était très agréable, lui dit-il par la pensée.

« Je croyais avoir interdit les vols non accompagnés ? » réplique-t-elle sèchement.

J'avais faim, Liessa.

« Réfrène ton appétit. Il y aura bientôt des chevaux à manger. »

Les rênes se coincent dans les dents. Est-ce qu'il y a des guerriers ? Nous aimons bien ça, les guerriers.

Liessa fait descendre l'échelle de monte puis atterrit sur Laolith et noue ses jambes autour de son cou de cuir.

« Le guerrier est pour moi. Il y en a deux autres, je vous les laisse. L'un est plus ou moins mage, j'ai l'impression », ajoute-t-elle en manière d'encouragement.

Oh, tu sais, les mages… une demi-heure après, on s'en prendrait bien un autre, grommelle le dragon.

Il étend ses ailes et se laisse tomber.

« Ils nous rattrapent ! » brailla Rincevent. Il se courba encore davantage sur l'encolure de son cheval et gémit. Deuxfleurs s'efforçait de se maintenir à sa hauteur tout en se tordant le cou pour regarder les bêtes volantes derrière eux.

« Tu ne comprends pas ! cria le touriste par-dessus le vacarme épouvantable des battements d'ailes. J'ai toujours rêvé de voir des dragons !

— De l'intérieur ? hurla Rincevent. Tais-toi donc et galope ! » Il fouetta sa monture avec les rênes, fixa le bois devant eux et s'efforça de le rapprocher par la seule puissance de sa volonté. Sous ces arbres, ils seraient à l'abri. Sous ces arbres, aucun dragon ne pourrait voler…

Il entendit le claquement des ailes avant que les ombres ne se replient sur lui. Instinctivement, il se tassa sur sa selle et sentit une douleur cuisante au moment où quelque chose d'affilé lui traçait un sillon en travers des épaules.

Derrière lui, Hrun hurla, mais ça ressemblait davantage à un beuglement de rage qu'à un cri de douleur.

Le barbare avait bondi dans la bruyère et dégainé Kring, l'épée noire. Il la brandit alors qu'un des dragons virait pour un nouveau passage en rase-mottes.

« C'est pas une saloperie de lézard qui va me faire un truc pareil ! » rugit-il.

Rincevent se pencha et saisit les rênes de Deux-fleurs.

« Allez, viens ! souffla-t-il.

— Mais les dragons… protesta le touriste subjugué.

— La barbe, les… » commença le mage avant de se figer. Un autre monstre volant s'était détaché de ses congénères qui tournoyaient dans le ciel ; il planait dans leur direction. Rincevent lâcha le cheval de Deux-fleurs et jura violemment avant d'éperonner le sien pour gagner les arbres, tout seul. Il ne regarda pas vers le tumulte soudain dans son dos et, lorsqu'une ombre le survola, il se contenta de bredouiller faiblement et s'efforça de disparaître dans la crinière de sa monture.

Mais au lieu de la déchirure brûlante qu'il attendait, il essuya une série de coups cinglants au moment où son cheval terrifié plongeait sous les premières ramures du bois. Le mage voulut se cramponner, mais une branche basse plus solide que les autres le désarçonna. Juste avant que les lumières bleues clignotantes de l'inconscience ne fondent sur lui, il entendit un cri aigu de reptile frustré dont les serres déchiquetaient la cime des arbres.

Lorsqu'il se réveilla, un dragon l'observait ; du moins, il regardait en gros dans sa direction. Rincevent gémit et tenta de se creuser un passage dans la mousse à coups d'omoplates quand la douleur se réveilla et lui coupa le souffle.

À travers les brumes de la souffrance et de la peur, il regarda à son tour le dragon.

La créature pendait à la branche d'un grand chêne mort, une centaine de mètres plus loin. Ses ailes de bronze doré lui enveloppaient étroitement le corps, mais la longue tête chevaline se tournait d'un côté et de l'autre au bout d'un cou remarquablement souple. Elle passait la forêt en revue.

Elle était aussi à demi transparente. Malgré les reflets du soleil sur les écailles, Rincevent distinguait nettement les contours des branches derrière elle.

Sur une de ces branches, un homme se tenait assis, minuscule auprès du reptile suspendu. Il avait l'air nu en dehors d'une paire de grandes bottes, d'un tout petit fourre-tout en cuir dans la région de l'entrejambe et d'un casque surmonté d'un haut cimier. Il tenait une épée courte dont il faisait négligemment des moulinets d'avant en arrière en regardant la cime des arbres avec l'air de celui qui s'acquitte d'une tâche fastidieuse et sans gloire.

Un scarabée se lança dans une laborieuse ascension de la jambe de Rincevent.

Le mage se demanda quels dommages risquait de causer un dragon à moitié solide. Est-ce qu'il ne le tuerait qu'à moitié ? Il décida de ne pas rester pour le découvrir.

S'aidant des talons, du bout des doigts et des muscles des épaules, Rincevent se tortilla de biais jusqu'à ce que le feuillage masque le chêne et ses occupants. Puis il se remit tant bien que mal debout et détala à fond de train entre les arbres.

Il n'avait pas de destination en tête, pas de provisions, pas de cheval. Mais tant qu'il avait encore des jambes il pouvait courir. Les fougères et les ronces le fouettaient au passage, mais il ne sentait rien du tout.

Une fois qu'il eut mis près de deux kilomètres entre le dragon et lui, il s'arrêta et s'écroula contre un arbre qui se mit à lui parler.

« Psst. »

Redoutant ce qu'il allait voir, Rincevent laissa son regard escalader le tronc. Ses yeux tentèrent bien de ne pas dépasser d'inoffensifs bouts d'écorce et de feuilles, mais le démon de la curiosité les contraignit à monter plus haut. Finalement, ils se fixèrent sur une épée noire carrément fichée à travers la branche au-dessus de sa tête.

« Ne restez donc pas planté comme ça, dit l'épée (d'une voix comme le frottement d'un doigt sur le bord d'un grand verre de vin vide). Dégagez-moi de là.

— Quoi ? fit Rincevent, la poitrine encore pantelante.

— Dégagez-moi de là, répéta Kring. Sinon, je vais passer le prochain million d'années dans un gisement houiller. Est-ce que je vous ai déjà raconté la fois où on m'a jetée dans un lac du côté de...

— Il leur est arrivé quoi, aux autres ? demanda Rincevent, toujours désespérément agrippé à l'arbre.

— Oh, ils se sont fait prendre par les dragons. Tout comme les chevaux. Et l'espèce de boîte. Moi aussi, sauf que Hrun m'a lâchée. Un coup de chance pour vous.

— Ben... » commença Rincevent. Kring l'ignora.

« J'imagine que vous avez hâte de les sauver, ajouta l'épée.

— Oui, euh...

— Alors vous me dégagez de là et on y va. »

Du coin de l'œil, Rincevent regarda l'épée au-dessus de lui. L'idée d'une opération de sauvetage était tellement éloignée de ses préoccupations présentes que, si certaines hypothèses de pointe sur la forme et la nature multiplexe et pluridimensionnelle de l'Univers étaient correctes, elle en devenait toute proche ; mais une épée magique, c'était précieux...

Et la route serait longue pour rentrer chez lui, il ne savait où...

Il grimpa comme il put dans l'arbre et progressa tout doucement le long de la branche. Kring était très solidement enfoncée dans le bois. Il empoigna le pommeau et tira jusqu'à ce que des lumières lui clignotent devant les yeux.

« Essayez encore », l'encouragea l'épée.

Rincevent gémit et serra les dents.

« Ça pourrait être pire, dit Kring. Ç'aurait pu être une enclume.

— Aaargl, geignit le mage, craignant pour l'avenir de son entrejambe.

— J'ai vécu une existence multidimensionnelle, fit l'épée.

— Hgnein ?

— J'ai porté beaucoup de noms, vous savez.

— Incroyable », dit Rincevent. Il partit en arrière lorsque la lame se libéra. Elle paraissait curieusement légère.

Redescendu à terre, il décida de jouer cartes sur table.

« Je ne crois vraiment pas que ce soit une bonne idée d'aller les secourir, dit-il. Je crois qu'on ferait mieux de retourner dans une ville, vous voyez. Pour monter une expédition de recherche.

— Les dragons sont partis vers le Moyeu, dit Kring. Mais je propose de commencer par celui dans les arbres, là-bas.

— Je regrette, mais…

— Vous ne pouvez pas les abandonner à leur sort ! » Rincevent eut l'air surpris. « Ah bon ?

— Non. Vous ne pouvez pas. Écoutez, je vais être franche. J'ai travaillé avec du meilleur matériel que vous, mais c'est ça ou… Vous avez déjà passé un million d'années dans un bassin houiller ?

— Écoutez, je…

— Alors, si tu n'arrêtes pas de discuter, je te coupe la tête. »

Rincevent vit son propre bras se lever brusquement jusqu'à ce que la lame miroitante lui bourdonne à deux centimètres de la gorge. Il essaya de forcer ses doigts à lâcher prise. Impossible.

« Je ne sais pas faire ça, le héros ! cria-t-il.

— Je compte bien t'apprendre. »

Psepha le Bronzé gronda du fond de la gorge.

K!sdra, le dragonnier, se pencha en avant et scruta la clairière, les yeux plissés.

« Je le vois », dit-il. Il descendit souplement en se balançant de branche en branche, atterrit légèrement dans les touffes d'herbe et tira l'épée.

Il regarda longuement l'homme qui approchait et qui ne tenait visiblement pas à quitter l'abri des arbres. Il était armé, mais le dragonnier observa avec intérêt la manière curieuse dont il tenait son épée devant lui à bout de bras, comme si ça le gênait qu'on le voit en telle compagnie.

K!sdra soupesa son glaive et arbora un large sourire tandis que le mage avançait vers lui en traînant les pieds. Puis il bondit.

Plus tard, il ne devait se rappeler du combat que deux choses : d'abord la réaction mystérieuse de l'épée du mage, laquelle se redressa pour flanquer à sa lame un coup qui la lui arracha du poing. Ensuite la réaction du mage lui-même – la vraie cause de sa perte, assura-t-il –, qui se cachait les yeux de la main.

K!sdra sauta en arrière pour éviter une nouvelle botte et s'étala de tout son long dans l'herbe. Avec un grognement, Psepha déploya ses grandes ailes et s'élança de l'arbre.

Dans la seconde qui suivit, Rincevent se dressait

au-dessus du dragonnier et hurlait : « Dis-lui que s'il essaye de me griller, je lâche l'épée ! Sans hésiter ! Je la lâche ! Alors, dis-lui ! » La pointe de l'épée noire planait au-dessus de la gorge de K!sdra. Le plus drôle, c'est que le mage se débattait manifestement avec elle, et qu'elle avait l'air de chantonner toute seule.

« Psepha ! » cria K!sdra.

Le dragon rugit de défi mais redressa le piqué qui aurait arraché la tête de Rincevent et regagna son arbre d'un vol lourd.

« Parle ! » brailla Rincevent.

K!sdra loucha sur lui le long de la lame.

« Qu'est-ce que tu veux que je dise ? demanda-t-il.

— Hein ?

— J'ai dit : qu'est-ce que tu veux que je dise ?

— Où sont mes amis ? Le barbare et le petit homme, quoi !

— J'imagine qu'on les a ramenés au Wyrmberg. »

Rincevent résistait désespérément contre la traction puissante de l'épée, s'efforçait de fermer son esprit au fredonnement sanguinaire de Kring.

« C'est quoi, un wyrmberg ? demanda-t-il.

— *Le* Wyrmberg. Il n'y en a qu'un. C'est le Pays des Dragons.

— Et je suppose que tu attendais pour m'y emmener, hein ? »

K!sdra poussa un petit cri involontaire lorsque la pointe de l'épée fit perler une goutte de sang sur sa pomme d'Adam.

« Et vous ne voulez pas qu'on sache que vous avez des dragons là-bas, hein ? » gronda Rincevent. Le dragonnier s'oublia assez pour hocher la tête et manqua d'un cheveu se trancher la gorge.

Rincevent jeta un regard affolé autour de lui et

comprit qu'il lui faudrait vraiment aller au bout de son calvaire.

« Alors, d'accord, fit-il avec toute l'assurance dont il était capable. Tu ferais mieux de m'emmener à ton Wyrmberg, tu ne crois pas ?

— J'étais censé t'y emmener mort », marmonna K!sdra, la mine renfrognée.

Rincevent baissa les yeux sur lui et sourit lentement. D'un grand rictus de psychopathe totalement dépourvu d'humour. Du genre de sourire normalement fréquenté par des petits oiseaux aquatiques qui entrent et sortent tranquillement pour curer les dents de leurs déchets.

« Vivant, ça fera l'affaire tout pareil, dit-il. Si tu veux vraiment un cadavre, n'oublie pas à qui est l'épée que tient cette main.

— Si tu me tues, rien n'empêchera Psepha de te tuer aussi ! s'écria le dragonnier étendu par terre.

— Alors, voilà ce que je vais faire : je vais te découper par petits bouts », répliqua le mage. Il répéta le coup du sourire.

« Bon, d'accord, maugréa K!sdra. Tu te figures que je ne devine pas à quoi tu penses ? »

Il se tortilla pour se dégager de sous l'épée et fit un signe au dragon, lequel reprit son envol et plana vers eux. Rincevent déglutit.

« Tu veux dire qu'il faut qu'on monte là-dessus ? » fit-il.

K!sdra lui jeta un regard méprisant, la pointe de Kring toujours dirigée vers son cou.

« Comment entrer dans le Wyrmberg autrement ?

— Je ne sais pas, moi, fit Rincevent. Comment ?

— Je veux dire, il n'y a pas d'autre moyen. C'est par les airs ou pas du tout. »

Rincevent considéra encore le dragon devant lui. Il

voyait très nettement à travers la bête l'herbe écrasée sur laquelle il reposait, mais lorsqu'il toucha prudemment une écaille qui n'était qu'un simple reflet doré dans le vide, elle lui parut plutôt solide. Il fallait qu'un dragon existe ou n'existe pas, se disait-il. Un dragon qui n'existait qu'à moitié, c'était pire que tout.

« Je ne savais pas qu'on voyait à travers les dragons », dit-il.

K!sdra haussa les épaules. « Ah non ? » fit-il.

Il enfourcha la bête d'un bond maladroit parce que Rincevent s'accrochait à sa ceinture. Une fois inconfortablement installé, le mage transféra sa prise qui lui blanchissait les articulations sur une partie du harnais plus commode et donna un petit coup d'épée à K!sdra.

« Tu as déjà volé ? demanda le dragonnier sans se retourner.

— Pas vraiment, non.

— Tu veux quelque chose à sucer ? »

Rincevent fixa d'un regard vide la nuque de l'homme puis baissa les yeux sur le pochon de bonbons rouges et jaunes qu'on lui offrait.

« C'est indispensable ? demanda-t-il.

— C'est la tradition, répondit K!sdra. Fais comme tu veux. »

Le dragon se leva, courut lourdement dans le pré et prit l'air en battant des ailes.

Rincevent faisait parfois un cauchemar dans lequel il chancelait sur un support impalpable, à une altitude incroyable, d'où il voyait un paysage bleu par la distance et parsemé de nuages qui se déployait sous lui (il se réveillait en général à ce moment-là, les chevilles moites ; son inquiétude aurait encore grandi s'il avait su que le cauchemar ne relevait pas, comme il le croyait, du vertige classique du Disque-Monde. Il s'agissait d'un souvenir à rebours d'un événement si terrifiant de son avenir qu'il avait généré des harmoniques de trouille sur toute la durée de sa vie).

Ce vol à dos de dragon, sans être l'événement en question, en constituait néanmoins une bonne répétition.

Psepha effectua son décollage toutes griffes dehors au bout d'une série de bonds à briser les vertèbres de ses passagers. À l'apogée de son dernier saut, les larges ailes se déplièrent dans un claquement et s'étendirent avec un choc sourd qui secoua les arbres.

Puis le sol disparut, chuta par saccades successives, sans heurts. Psepha s'élevait soudain avec grâce, et le soleil d'après-midi se reflétait sur des ailes toujours aussi fines qu'une pellicule d'or. Rincevent commit l'erreur de jeter un coup d'œil en bas ; son regard tomba à travers le dragon sur la cime des arbres en dessous. Loin en dessous. Il sentit son estomac se ratatiner à cette vision.

Fermer les yeux ne valait guère mieux, ça lâchait la bride à son imagination. Il trouva un compromis : il fixa le vide à mi-distance du sol, ce qui lui permettait de regarder presque négligemment défiler la lande et la forêt.

Le vent cherchait à le saisir. K!sdra pivota à demi et lui cria dans l'oreille.

« Le Wyrmberg ! »

Rincevent tourna lentement la tête en prenant soin de garder Kring posée légèrement sur le dos du dragon. Ses yeux noyés de larmes contemplèrent l'impossible montagne inversée qui jaillissait des profondeurs boisées de la vallée comme une trompette dans une cuvette de mousse. Même à cette distance, il distinguait la faible lueur octarine dans l'atmosphère qui devait indiquer une aura magique stable d'au moins – il manqua s'étrangler – plusieurs milliPrimes ? Au moins !

« Oh, non », fit-il.

Il préférait encore regarder le sol. Il détourna bien vite les yeux et s'aperçut qu'il ne pouvait désormais plus voir la terre à travers le dragon. Alors que la créature virait en un large vol plané vers le Wyrmberg, elle prenait incontestablement de la consistance, comme si son corps s'emplissait d'une brume dorée. Lorsque le Wyrmberg apparut en face d'eux, tanguant follement sur le fond du ciel, le dragon était aussi réel que du roc.

Rincevent crut distinguer une fine traînée dans les airs, comme si quelque chose parti de la montagne avait touché la bête. Il eut l'étrange impression que le dragon devenait plus *vrai*.

Droit devant, le Wyrmberg se transforma, de l'état de lointain modèle réduit, en une masse de plusieurs milliards de tonnes de roche suspendue entre ciel et terre. Au sommet, le mage reconnut de petits champs, des bois et un lac, et du lac s'écoulait une rivière qui se jetait par-dessus le bord...

Il commit l'erreur de suivre des yeux le filet d'eau écumante et se rejeta en arrière juste à temps.

Le plateau évasé du massif à l'envers voguait à leur rencontre. Le dragon ne ralentit même pas.

Alors que la montagne dominait Rincevent comme la plus grande tapette à mouches de l'Univers, il vit l'entrée d'une caverne. Psepha fila vers elle de toute la puissance des muscles de ses épaules.

Le mage hurla lorsque l'obscurité s'étendit et l'enveloppa. Il eut une vision brève de roche qui défilait, rendue floue par la vitesse. Puis le dragon émergea à nouveau dans un espace dégagé.

Il se trouvait à l'intérieur d'une caverne, mais plus vaste qu'il n'était permis. Dans cette cavité immense, le dragon en vol plané avait l'air d'une mouche dorée dans une salle de banquet.

D'autres dragons – dorés, argentés, noirs, blancs – voltigeaient dans l'atmosphère transpercée par les rayons du soleil, en route vers des destinations connues d'eux seuls, ou restaient perchés sur des promontoires rocheux. En haut, sous le toit voûté de la caverne, des dizaines d'autres pendaient à des anneaux gigantesques, les ailes repliées autour du corps à la façon des chauves-souris. Il y avait aussi des hommes parmi eux. Rincevent déglutit avec force à leur vue parce qu'ils marchaient comme des mouches sur le vaste plafond.

Puis il distingua les milliers de tout petits anneaux qui constellaient la surface du dôme. Un certain nombre d'hommes à l'envers observaient le vol de Psepha avec intérêt. Rincevent déglutit encore, difficilement. Il n'avait pas la moindre idée de ce qu'il devait faire à présent.

« Alors ? chuchota-t-il. Qu'est-ce que tu proposes ?

— Faut attaquer, c'est évident, répondit Kring avec mépris.

— Pourquoi je n'y ai pas pensé tout seul ? fit Rincevent. Parce qu'ils ont tous des arbalètes, peut-être ?

— Défaitiste.

— Défaitiste ! C'est parce que je cours à la défaite !

— Tu es ton pire ennemi, Rincevent », dit l'épée.

Le mage leva les yeux vers les hommes tout sourires.

« On parie ? » fit-il d'une voix lasse.

Avant que Kring ait pu répondre, Psepha se cabra

dans les airs et se posa sur un des grands anneaux qui oscilla de manière inquiétante.

« Tu préfères mourir tout de suite ou te rendre d'abord ? » proposa calmement K!sdra.

Des hommes convergeaient vers l'anneau de toutes parts ; ils progressaient avec un mouvement de balancier à mesure que leurs bottes à crochet s'engageaient dans les anneaux du plafond.

Il y avait d'autres bottes sur un râtelier pendu à une petite plate-forme aménagée à côté de l'anneau-perchoir. Avant que Rincevent puisse l'en empêcher, le dragonnier bondit du dos de sa monture pour atterrir sur la plate-forme d'où il adressa un grand sourire au mage déconfit.

On entendit le petit bruit éloquent d'un certain nombre d'arbalètes qu'on arme. Rincevent leva les yeux vers des visages impassibles et renversés. Les goûts vestimentaires du peuple des dragons ne dépassaient pas en matière d'originalité le harnais de cuir clouté de bronze. Les fourreaux des couteaux et des épées se portaient inversés. Ceux qui n'avaient pas de casque laissaient librement flotter leurs cheveux qui ondulaient comme des algues dans les courants d'air de ventilation près du plafond. Plusieurs femmes se trouvaient parmi eux. La position à l'envers produisait de curieux effets sur leur anatomie. Rincevent les regarda, les yeux écarquillés.

« Rends-toi ! » répéta K!sdra.

Rincevent ouvrit la bouche pour se soumettre. Kring fredonna un avertissement, et d'horribles ondes de douleur remontèrent en flèche le bras du mage. « Jamais », couina-t-il. La douleur cessa.

« Bien sûr que non ! tonna une voix de stentor derrière lui. C'est un héros, non ? »

Rincevent se retourna et plongea les yeux dans deux narines poilues. Elles appartenaient à un jeune homme solidement bâti, nonchalamment suspendu par ses bottes au plafond.

« Comment t'appelles-tu, héros ? demanda-t-il. Pour que nous sachions qui tu étais. »

Une douleur atroce parcourut le bras de Rincevent. « Je… je suis Rincevent d'Ankh, souffla-t-il non sans peine.

— Et moi Lio!rt, seigneur des dragons », fit l'homme suspendu en prononçant son nom avec un *clic* dur dans le fond de la gorge qui, selon Rincevent, faisait forcément partie intégrante du mot. « Tu viens me défier en combat mortel.

— Ben, non, je ne…

— Tu te trompes. K!sdra, aide notre héros à enfiler une paire de bottes. Je suis sûr qu'il brûle de commencer.

— Non, écoutez, je viens seulement chercher mes amis. Il n'y a certainement pas… » balbutia Rincevent tandis que le dragonnier le guidait d'une main ferme jusque sur la plate-forme, le poussait vers un siège et entreprenait de lui lacer des bottes à crochet aux pieds.

« Dépêche-toi, K!sdra. Il ne faut pas priver notre héros de son destin, fit Lio!rt.

— Écoutez, mes amis sont sûrement très bien ici, alors si vous pouviez… vous voyez… me déposer quelque part…

— Tu les retrouveras bientôt, tes amis, dit le seigneur des dragons d'un ton léger. Si tu as de la religion, s'entend. Ceux qui entrent dans le Wyrmberg n'en repartent jamais. Enfin, si, métaphoriquement. Montre-lui comment s'accrocher aux anneaux, K!sdra.

« — Regarde un peu dans quoi tu m'as fourré ! » souffla Rincevent.

Kring vibra dans sa main. « Souviens-toi, je suis une épée *magique*, bourdonna-t-elle.

— Comment pourrais-je l'oublier ?

— Grimpe à l'échelle et attrape un anneau, expliqua le dragonnier, ensuite tu lèves les pieds pour y passer les crochets. » Malgré les protestations du mage, il l'aida à grimper jusqu'à ce qu'il soit suspendu la tête en bas, la robe coincée dans ses bottes, Kring pendouillant au bout de son bras. Sous cet angle, la vue des dragonniers était à peu près supportable, mais les dragons accrochés à leurs perchoirs dominaient la scène comme de gigantesques gargouilles. Leurs yeux brillaient, intéressés.

« Prépare-toi », fit Lio!rt. Un dragonnier lui tendit un objet allongé, enveloppé dans de la soie rouge.

« Nous combattons jusqu'à la mort, reprit-il. La tienne.

— Et je suppose que je gagne ma liberté si je sors vainqueur ? » demanda Rincevent sans grand espoir.

Lio!rt montra d'un signe de tête les dragonniers rassemblés.

« Ne sois pas naïf », dit-il.

Rincevent prit une profonde inspiration. « J'imagine que je dois vous avertir, fit-il d'une voix à peine tremblante. Cette épée est *magique*. »

Lio!rt laissa tomber l'enveloppe de soie rouge dans les ténèbres et brandit une lame d'un noir de jais. Des runes luisaient à sa surface.

« Quelle coïncidence », dit-il en se fendant d'une botte.

Rincevent se pétrifia de peur, mais son bras se détendit lorsque Kring frappa d'estoc. Les épées s'entre-choquèrent dans une explosion de lumière octarine.

Lio!rt se balança en arrière, les yeux étrécis. Kring franchit sa garde d'un bond et, malgré l'épée adverse qui se releva brusquement pour détourner une grande partie de la force d'impact, une mince traînée rouge apparut sur le torse du seigneur.

En grognant, il s'élança vers le mage ; ses bottes cliquetaient à mesure qu'il enfilait les anneaux. Les épées se croisèrent encore dans une nouvelle décharge violente de magie ; au même moment, Lio!rt abattit sa main libre contre la tête de Rincevent et l'ébranla si fort qu'un pied se décrocha soudain et gigota désespérément.

Rincevent se savait presque certainement le pire mage du Disque-Monde, vu qu'il ne connaissait qu'un seul sortilège ; il n'en restait pas moins un mage, et donc, selon les lois inexorables de la magie, ce serait la Mort en personne qui viendrait le chercher à l'heure de son trépas (au lieu de déléguer un de ses nombreux serviteurs, comme c'est généralement le cas).

Voilà pourquoi, alors qu'un Lio!rt tout sourire ramenait le bras en arrière et portait un coup de taille indolent, le temps s'embourba dans la mélasse.

Aux yeux de Rincevent, le monde s'éclaira soudain d'une lueur octarine tremblotante, teintée de violet par l'impact des photons sur la soudaine aura magique. Le seigneur des dragons avait l'air d'une statue blafarde, et son épée se déplaçait à l'allure d'un escargot dans la lumière.

Près de Lio!rt se tenait une autre silhouette, perceptible uniquement à ceux qui voient dans les quatre dimensions supplémentaires de la magie. Grande, mince, sombre, elle maniait à deux mains, sur fond d'une soudaine nuit d'étoiles froides, une faux au tranchant proverbial…

Rincevent se baissa. La lame lui passa dans un sifflement glacial au ras de la tête et s'enfonça dans le plafond rocheux de la caverne sans ralentir. La Mort poussa un juron de sa voix de crypte gelée. Le tableau s'effaça. Ce qui passait pour la réalité sur le Disque-Monde reprit ses droits dans une bouffée de bruits. Lio!rt eut le souffle coupé devant la soudaine rapidité du mage à esquiver son coup meurtrier, et avec l'énergie du désespoir que seule donne une peur panique, Rincevent se détendit comme un serpent et se jeta dans l'espace qui les séparait. Il referma les deux mains sur le bras armé du seigneur des dragons et le tordit violemment.

C'est à cet instant que le seul anneau qui le retenait encore, déjà en surcharge, se détacha du roc avec un méchant petit bruit métallique.

Rincevent tomba dans le vide, se balança follement et se retrouva suspendu au-dessus d'un plongeon fatal qui lui romprait le cou, les mains cramponnées si fort au bras du seigneur des dragons que l'homme hurla.

Lio!rt leva les yeux sur ses pieds. De petits éclats de roche tombaient de la voûte autour des pitons des anneaux.

« Lâche donc, salaud ! s'écria-t-il. Ou nous allons mourir tous les deux ! »

Rincevent ne répondit pas. Il se concentrait pour maintenir sa prise et fermer son esprit aux images pressantes du sort qui l'attendait sur les cailloux en bas.

« Abattez-le ! » beugla Lio!rt.

Du coin de l'œil, Rincevent vit plusieurs arbalètes

pointées sur lui. Lio!rt choisit ce moment pour frapper de sa main libre, et une poignée de bagues percuta les doigts du mage.

Il lâcha prise.

Deuxfleurs empoigna les barreaux et se hissa.

« Tu vois quelque chose ? demanda Hrun depuis le niveau de ses pieds.

— Rien que des nuages. »

Hrun l'aida à redescendre et s'assit au bord d'un des lits de bois qui constituaient le seul ameublement de la cellule. « Merde alors, fit-il.

— Ne désespère pas, dit Deuxfleurs.

— Je ne désespère pas.

— Je pense qu'il doit y avoir une méprise. Je pense qu'ils vont bientôt nous relâcher. Ils m'ont l'air tout à fait civilisés. »

Hrun le considéra par-dessous ses sourcils broussailleux. Il voulut dire quelque chose puis parut se raviser. Il se contenta de pousser un soupir.

« Et à notre retour, nous pourrons nous vanter d'avoir vu des dragons ! poursuivit Deuxfleurs. Hein, qu'est-ce que tu en dis ?

— Les dragons, ça n'existe pas, répliqua Hrun tout net. Codex de Chimérie a tué le dernier il y a deux cents ans. Je ne sais pas ce qu'on voit, mais ce ne sont pas des dragons.

— Mais ils nous ont transportés dans les airs ! Dans cette salle, il devait y en avoir des centaines…

— Sûrement de la magie, fit Hrun pour balayer l'objection.

— Ben, ça ressemblait à des dragons, insista Deuxfleurs d'un air de défi. J'ai toujours voulu voir des dragons, depuis tout petit. Des dragons qui volent dans le ciel, qui crachent des flammes.

— Ils rampaient dans les marécages, des trucs de ce genre, et tout ce qu'ils crachaient, c'était leur haleine infecte, fit Hrun en s'allongeant sur sa couchette. Ils n'étaient pas très gros, non plus. Ils ramassaient du bois de chauffage.

— Moi, j'ai entendu dire qu'ils ramassaient des trésors.

— Et du bois de chauffage. Dis, ajouta Hrun dont la figure s'éclaira, tu as remarqué toutes ces salles par où ils nous ont amenés ? Drôlement impressionnant, j'ai trouvé. Pas mal de bonne camelote, et certaines tapisseries doivent valoir une fortune. » Il se gratta le menton d'un air songeur, dans un bruit de porc-épic qui se fraye un chemin dans les ajoncs.

« Qu'est-ce qui se passe, maintenant ? » demanda Deuxfleurs.

Hrun se cura l'oreille puis examina distraitement son doigt.

« Oh, dit-il, à mon avis, dans une minute la porte va s'ouvrir d'un coup, on va me traîner dans une espèce d'arène sacrée où je vais combattre peut-être deux araignées géantes et un esclave de deux mètres cinquante des jungles de Klatch, ensuite je sauve une sorte de princesse de l'autel des sacrifices, je trucide quelques gardes ou autres, puis la fille me montre le passage secret pour sortir d'ici, on fauche deux chevaux et on s'échappe avec le trésor. » Hrun posa sa tête sur ses mains et contempla le plafond en sifflotant un air sans queue ni tête.

« Tout ça ? fit Deuxfleurs.

— C'est ce qui se fait d'habitude. »

Deuxfleurs s'assit sur sa couchette et s'efforça de réfléchir. Difficile, il avait la tête pleine de dragons.

Les dragons !

Depuis qu'il avait deux ans, les images de ces animaux fougueux dans *le Livre octarine des fées* le fascinaient. Sa sœur lui avait dit qu'ils n'existaient pas réellement, et il se souvenait de sa déception amère. Si le monde ne possédait pas de créatures aussi belles, avait-il conclu, alors c'était un monde sans intérêt. Plus tard, il avait dû faire son apprentissage auprès du maître comptable Neufroseaux, dont l'esprit dénué de fantaisie représentait tout ce que les dragons n'étaient pas, et chez qui on ne perdait pas son temps à rêver.

Mais quelque chose ne collait pas, chez ces dragons-là. Ils étaient trop petits et aérodynamiques, comparés à ceux qu'il gardait en mémoire. Un dragon, ça devait être gros, vert, griffu, exotique, cracher le feu – gros, vert, avec de longues griffes acér...

Quelque chose bougea à la limite de son champ de vision, dans l'angle le plus éloigné, le plus sombre du cachot. Lorsqu'il tourna la tête, ça disparut, mais il crut entendre un tout petit bruit qu'auraient pu produire des griffes grattant la pierre.

« Hrun ? » fit-il.

Un ronflement lui répondit de l'autre couchette.

Deuxfleurs s'approcha du recoin à pas feutrés, en tâtant prudemment les moellons au cas où il y aurait un passage secret. À cet instant, la porte s'ouvrit à la volée et cogna sourdement contre le mur. Une demi-douzaine de gardes firent irruption, se déployèrent et mirent aussitôt un genou en terre. Leurs armes étaient uniquement pointées sur Hrun. Quand il y repensa plus tard, Deuxfleurs se sentit très vexé.

Hrun ronflait.

Une femme entra d'un pas décidé dans la cellule. Peu de femmes marchent d'un pas décidé de manière convaincante, mais elle était de celles-là. Elle jeta un bref coup d'œil à Deuxfleurs, comme s'il s'agissait d'un meuble, puis fit tomber un regard mauvais sur l'homme allongé.

Elle portait le même type de harnais de cuir que les dragonniers, mais en beaucoup plus réduit. En dehors de la crinière magnifique de cheveux auburn qui lui cascadait jusqu'à la taille, c'était la seule concession à ce qui, même sur le Disque-Monde, passait pour de la pudeur. Elle portait aussi sur le visage une expression songeuse.

Hrun eut un gargouillis, se retourna et continua de dormir.

D'un geste prudent, comme si elle maniait un instrument d'une rare délicatesse, la femme tira une fine dague noire de sa ceinture et l'abattit.

L'arme n'avait pas parcouru la moitié de sa courbe que la main droite de Hrun jaillit, si vite qu'elle donna l'impression de sauter d'un point à un autre de l'espace sans jamais occuper l'intervalle qui les séparait. Elle se referma autour du poignet de la femme dans un claquement étouffé. Son autre main tâtonna fébrilement à la recherche d'une épée qui n'était pas là…

Hrun se réveilla.

« Gngh ? » fit-il en regardant avec un froncement de sourcils intrigué la femme au-dessus de lui. Puis il avisa les arbalétriers.

« Lâche-moi », ordonna-t-elle d'une voix calme, basse et tranchante comme un diamant. Hrun desserra lentement sa prise.

Elle recula en se massant le poignet et regarda Hrun à la façon d'un chat qui surveille un trou de souris.

« Bien, fit-elle enfin. Tu as passé la première épreuve. Quel est ton nom, barbare ?

— Qui traites-tu de barbare ? gronda Hrun.

— C'est ce que je voudrais savoir. »

Hrun compta lentement les arbalétriers et fit un calcul rapide. Ses épaules se relâchèrent.

« Je suis Hrun de Chimérie. Et toi ?

— Liessa, la Dame aux Dragons.

— C'est toi, le seigneur du coin ?

— Ça reste à voir. Tu me fais l'effet d'être un mercenaire, Hrun de Chimérie. Je pourrais trouver à t'employer – si tu passes les épreuves, évidemment. Il y en a trois. Tu as passé la première.

— Et c'est quoi, les… – Hrun marqua un temps, ses lèvres remuèrent sans bruit, puis il risqua :… deux autres ?

— C'est dangereux.

— Et la récompense ?

— Inestimable.

— Excusez-moi, fit Deuxfleurs.

— Et si je rate les épreuves ? » demanda Hrun en ignorant le touriste. L'air entre Hrun et Liessa crépitait de petites explosions de charisme tandis que leurs yeux cherchaient une prise.

« Si tu avais échoué à la première, tu serais mort à présent. Ce qu'on peut considérer comme une sanction typique.

— Euh, dites… » commença Deuxfleurs. Liessa lui accorda un bref regard et parut vraiment le remarquer pour la première fois.

« Enlevez-moi ça », dit-elle tranquillement avant de revenir à Hrun. Deux gardes se remirent l'arbalète en bandoulière, empoignèrent Deuxfleurs par les coudes et le soulevèrent de terre. Puis ils passèrent vite la porte au petit trot.

« Hé, fit Deuxfleurs tandis qu'ils descendaient à vive allure le couloir, où… (lorsqu'ils s'arrêtèrent devant une autre porte) est mon… (lorsqu'ils ouvrirent la porte) Bagage ? » Il atterrit sur un tas de ce qui avait jadis dû être de la paille. La porte se referma à la volée, son écho ponctué par le claquement des verrous qu'on enclenchait dans leur gâche.

Dans l'autre cellule, Hrun avait à peine cillé.

« D'accord, dit-il, c'est quoi, la deuxième épreuve ?

— Tu dois tuer mes deux frères. »

Hrun réfléchit.

« Les deux en même temps ou l'un après l'autre ? demanda-t-il.

— Consécutivement ou simultanément, l'assura-t-elle.

— Hein ?

— Tue-les, voilà, fit-elle sèchement.

— De bons combattants, sans doute ?

— Renommés.

— Et donc, en récompense de tout ça… ?

— Tu m'épouseras et tu deviendras le Seigneur du Wyrmberg. »

S'ensuivit une longue pause. Les sourcils de Hrun se froncèrent sous l'effort d'un calcul aussi intense qu'inhabituel.

« Toi et la montagne, c'est ce que je gagnerai ? dit-il enfin.

— Oui. » Elle le fixa droit dans les yeux, et ses lèvres se contractèrent. « La récompense en vaut la peine, je t'assure. »

Hrun baissa son regard sur les bagues qu'elle portait aux doigts. Les pierres en étaient grosses : des diamants lactés bleus incroyablement rares des bassins argileux de Mithos. Lorsqu'il parvint à s'en détacher, il vit Liessa le foudroyer d'un œil furieux.

« Comme ça, tu calcules ? grinça-t-elle. Toi, Hrun le Barbare, qui t'engagerais sans hésiter entre les mâchoires de la Mort lui-même ? »

Hrun haussa les épaules. « Ben tiens, fit-il, la seule raison pour s'engager entre les mâchoires de la Mort, c'est qu'on peut comme ça lui voler ses dents en or. » D'un geste large, il ramena un bras au bout duquel se trouvait la couchette de bois. Elle percuta les arbalétriers, et Hrun la suivit joyeusement, assommant un homme d'un coup de poing et arrachant son arme à un autre. Un instant plus tard, tout était terminé.

Liessa n'avait pas bougé.

« Alors ? fit-elle.

— Alors quoi ? demanda Hrun au milieu du carnage.

— Tu as l'intention de me tuer ?

— Hein ? Oh, non. Non, c'est seulement, tu vois, une espèce d'habitude. Histoire de garder la main. Alors, où ils sont, ces frères ? » Il avait un grand sourire.

Assis sur sa paille, Deuxfleurs fixait les ténèbres. Il se demandait depuis combien de temps il était là. Des heures, au moins. Des jours, probablement. Il se dit que ça faisait peut-être des années et qu'il ne s'en rendait même pas compte.

Non, il valait mieux éviter ce genre de réflexions. Il s'efforça de penser à autre chose : l'herbe, les arbres, l'air frais, les dragons. Les dragons…

Il y eut un grattement imperceptible dans les ténèbres. Deuxfleurs sentit la sueur lui picoter le front.

Il n'était pas tout seul dans la cellule. Quelque chose faisait de petits bruits qui, même dans l'obscurité la plus noire, donnaient une impression d'énormité. Deuxfleurs sentait un déplacement d'air.

Il leva le bras ; l'atmosphère était graisseuse et des étincelles tombèrent en une pluie fine, signes d'un champ magique localisé. Il en vint à souhaiter ardemment de la lumière.

Une boule de feu lui passa en grondant près de la tête et s'écrasa sur le mur d'en face. Alors que les pierres s'embrasaient dans une chaleur de fournaise, Deuxfleurs leva les yeux sur le dragon qui occupait à présent plus de la moitié du cachot.

Je suis à tes ordres, seigneur, fit une voix dans sa tête.

À la lueur de la roche crépitante et crachotante, Deuxfleurs contempla son propre reflet dans deux immenses yeux verts. Derrière eux, le dragon était aussi chamarré, cornu, hérissé de piquants et souple que dans ses souvenirs : un *vrai* dragon. Même repliées, ses ailes restaient assez larges pour frôler les murs de chaque côté de la cellule. Il était couché, le prisonnier entre ses serres.

« À mes ordres ? » demanda-t-il, la voix vibrante de terreur et de félicité.

Bien sûr, seigneur.

La lueur s'estompa. Deuxfleurs pointa un doigt tremblant vers la porte, du moins vers l'emplacement où il se rappelait l'avoir vue, et ordonna : « Ouvre-la. »

Le dragon leva sa grosse tête. Il projeta un autre jet de feu, mais cette fois, alors qu'il contractait les muscles de son cou, la couleur de la flamme passa de l'orange au jaune, du jaune au blanc et enfin au bleu très pâle. En même temps, elle s'étrécissait, et là où elle toucha le mur, la roche en fusion crachota et coula. Lorsqu'elle atteignit la porte, le métal explosa en une gerbe de gouttelettes brûlantes.

Des ombres noires se tordaient et dansaient sur les murs. Le métal bouillonna l'espace d'un moment douloureux pour les yeux, puis la porte s'abattit en deux morceaux dans le couloir derrière. La flamme s'évanouit avec une soudaineté presque aussi saisissante que son apparition.

Deuxfleurs enjamba prudemment la porte qui refroidissait déjà et inspecta le couloir dans les deux sens. Vide.

Le dragon le suivit. Le chambranle massif lui posa un petit problème, vite résolu d'un mouvement d'épaules qui arracha les montants de bois avant de les rejeter de côté. La créature regarda Deuxfleurs, l'air d'attendre ; sa peau ondulait et se contractait tandis qu'elle cherchait à ouvrir les ailes dans le passage étriqué.

« Comment tu as fait pour entrer ? » demanda Deuxfleurs.

Tu m'as invoqué, maître.

« Je ne me souviens pas de ça. »

Par la pensée. Tu m'as appelé par la pensée, émit patiemment le dragon.

« Tu veux dire qu'il a suffi que je pense à toi et tu es apparu ? »

Oui.

« C'était de la magie ? »

Oui.

« Mais j'ai pensé aux dragons toute ma vie ! »

Ici, la frontière entre la pensée et la réalité doit

être un peu floue. Tout ce que je sais, c'est qu'avant je n'existais pas, puis que tu m'as pensé et qu'après j'existais. Je suis donc à tes ordres, bien sûr.

« Grands dieux ! »

Une demi-douzaine de gardes choisirent cet instant pour déboucher au détour du couloir. Il se figèrent, bouche bée. Puis l'un d'eux se reprit suffisamment pour lever son arbalète et tirer.

La poitrine du dragon se souleva. Le carreau explosa en débris ardents en plein vol. Les gardes détalèrent hors de vue. Une fraction de seconde plus tard, une nappe de feu inonda les dalles où ils s'étaient tenus.

Deuxfleurs leva des yeux admiratifs.

« Tu voles aussi ? » demanda-t-il.

Évidemment.

Deuxfleurs jeta un coup d'œil d'un côté puis de l'autre du couloir et décida de ne pas suivre les gardes. Il se savait déjà complètement perdu, alors une direction ou une autre, ça ne pourrait pas être pire. Il se glissa entre le dragon et le mur et s'éloigna en hâte pendant que la bête monstrueuse se retournait avec peine pour lui emboîter le pas.

Ils enfilèrent en catimini une succession de couloirs qui s'entrecroisaient comme dans un labyrinthe. Un moment, Deuxfleurs crut entendre des cris, loin derrière, mais ils s'estompèrent rapidement. De temps en temps, ils passaient devant la voûte obscure d'une porte en ruine qui se dessinait dans la pénombre. Une vague clarté filtrait par différentes cheminées et se réfléchissait çà et là sur de grands miroirs scellés dans des angles du couloir. Parfois une lueur plus vive tombait d'un puits de lumière au loin.

Curieux, se disait Deuxfleurs tandis qu'il descendait tranquillement une imposante volée de marches et soulevait du pied des nuages de poussière argentée, les tunnels sont beaucoup plus larges par ici. Et aussi mieux construits. Des niches ménagées dans les murs abritaient des statues, et de-ci de-là on avait accroché des tapisseries fanées mais intéressantes. Elles représentaient surtout des dragons – des dragons par centaines, en vol ou accrochés à leurs anneaux-perchoirs, des dragons montés par des hommes qui chassaient le cerf et parfois d'autres hommes. Deuxfleurs en toucha délicatement une. Le tissu tomba aussitôt en poussière dans la chaleur sèche ambiante et ne laissa que des mailles pendouillantes, celles qu'on avait tressées de fit d'or très fin.

« Je me demande pourquoi ils ont abandonné tout ça », fit Deuxfleurs.

Je ne sais pas, répondit dans son crâne une voix polie.

Il se retourna et leva les yeux vers la tête écailleuse et chevaline au-dessus de lui.

« Comment tu t'appelles, dragon ? » demanda-t-il.

Je ne sais pas.

« Je crois que je vais t'appeler Neufroseaux. »

Alors c'est mon nom.

Ils pataugèrent dans la poussière envahissante d'une enfilade de salles immenses creusées dans le roc et soutenues par de gros piliers sombres. Avec un certain talent, d'ailleurs ; du sol au plafond, les murs n'étaient qu'un amas de statues, gargouilles, bas-reliefs et colonnes cannelées qui créaient d'étranges ombres mouvantes quand le dragon donnait obligeamment de la lumière à la demande de Deuxfleurs. Ils traversèrent de longues galeries et de vastes amphithéâtres taillés dans la pierre, tous tapissés d'une épaisse couche de poussière moelleuse et complètement déserts. Personne n'avait mis les pieds dans ces cavernes mortes depuis des siècles.

Puis il vit la piste qui menait vers une autre entrée de tunnel sombre. Quelqu'un l'empruntait régulièrement et son dernier passage était récent. Une piste étroite et profonde dans la couche grise.

Deuxfleurs la suivit. Elle le conduisit par de nouvelles salles immenses et des couloirs sinueux assez grands pour un dragon (et des dragons avaient autrefois pris ce chemin, semblait-il ; il tomba sur un local plein de harnais en décomposition, à la taille de dragons, et sur un autre qui contenait des cottes de mailles assez grandes pour des éléphants). La piste s'acheva sur deux portes vertes en bronze, chacune si élevée que son sommet se perdait dans la pénombre. Devant Deuxfleurs, à hauteur de poitrine, s'offrait une petite poignée de cuivre en forme de dragon.

Dès qu'il la toucha, les portes s'ouvrirent dans un silence surprenant.

Aussitôt, des étincelles crépitèrent dans les cheveux de Deuxfleurs et une soudaine bouffée de vent chaud et sec passa, qui ne dispersa pas la poussière à la manière d'un courant d'air classique mais en souleva un instant des formes déplaisantes, comme vivantes, avant de les laisser retomber. Aux oreilles du touriste parvenaient les étranges pépiements criards des Choses captives dans les lointaines Dimensions de la Basse-Fosse, au-delà du tissu fragile de l'espace et du temps. Des ombres apparurent là où rien n'aurait dû les produire. L'air bourdonna comme une ruche.

Bref, il se trouvait au milieu d'une phénoménale décharge de magie.

Une lueur vert pâle éclairait la chambre derrière la porte. Entassés contre les murs, chacun sur sa propre tablette de marbre, s'étageaient des cercueils, rangée après rangée. Au centre de la pièce, sur un piédestal, se dressait un fauteuil de pierre occupé par une silhouette affaissée qui ne bougea pas mais ordonna d'une voix fragile de vieillard : « Entrez, jeune homme. »

Deuxfleurs s'avança. La forme assise était humaine, pour autant qu'il pouvait en juger à la lumière trouble, mais vu sa position curieusement affalée, il se réjouit de ne pas mieux la distinguer.

« Je suis mort, vous savez, dit sur le ton de la conversation une voix sortant de ce que Deuxfleurs espéra ardemment être une tête. J'imagine que vous vous en êtes aperçu.

— Euh… fit Deuxfleurs. Oui. » Il commença à reculer.

« C'est évident, hein ? reconnut la voix. Vous devez être Deuxfleurs, c'est ça ? Ou bien est-ce que ça se passe plus tard ?

— Plus tard ? Plus tard que quoi ? » Deuxfleurs s'arrêta.

« Eh bien, fit la voix, vous voyez, un des avantages de la mort, c'est qu'elle libère comme qui dirait des liens du temps ; je vois donc tout ce qui s'est passé ou se passera, tout en même temps, sauf que je sais maintenant qu'en pratique le temps n'existe pas.

— Ça n'a pas l'air d'un désavantage, remarqua Deuxfleurs.

— Vous croyez ? Imaginez que chaque moment soit à la fois un lointain souvenir et une mauvaise surprise, et vous comprendrez ce que j'entends par là. Bref, je me souviens à présent de ce que je vais vous dire. Ou est-ce que je l'ai déjà fait ? Joli dragon, à propos. Ou est-ce que je le dis trop tôt ?

— Oui, pas mal. Il est apparu comme ça, expliqua Deuxfleurs.

— Apparu ? s'étonna la voix. C'est vous qui l'avez invoqué !

— Oui, enfin… tout ce que j'ai fait…

— Vous avez le Pouvoir !

— J'y ai pensé, c'est tout.

— C'est ça, le Pouvoir ! Est-ce que je vous ai déjà dit que je suis Greicha Ier ? Ou est-ce après ? Je vous demande pardon, mais je manque un peu d'expérience en transcendance. Bref, oui… le Pouvoir. Il invoque les dragons, vous savez.

— Je crois que vous m'avez déjà dit ça, l'avertit Deuxfleurs.

— Ah bon ? C'est bien ce que je comptais faire, dit le mort.

— Mais *comment* est-ce qu'on s'y prend ? J'ai pensé aux dragons toute ma vie, mais c'est la première fois que j'en fais apparaître un.

— Oh, eh bien, vous voyez, la vérité c'est que les dragons n'ont jamais existé de la manière dont vous et moi (jusqu'à ce qu'on m'empoisonne il y a quelques semaines) comprenons l'existence. Je parle du vrai dragon, le *draconis nobilis*, vous saisissez ; le dragon des marais, le *draconis vulgaris*, est une créature vile qui ne vaut pas la peine qu'on s'y attarde. Le *vrai* dragon, lui, est une créature d'un tel raffinement d'esprit que seules les imaginations les plus inspirées sont en mesure de lui faire prendre forme dans ce monde. Mieux que ça, l'imagination en question doit opérer dans un lieu fortement imprégné de magie qui permet d'affaiblir les cloisons de séparation entre les univers du visible et de l'invisible. À ce moment-là, les dragons passent à travers, comme qui dirait, et impriment leur forme sur la matrice des possibilités de notre monde. J'étais un maître en la matière, de mon vivant. J'arrivais à imaginer jusqu'à... oh, cinq cents dragons d'un coup. Aujourd'hui, Liessa, la plus douée de mes enfants, a du mal à invoquer cinquante créatures parfaitement banales. Voilà où ça mène, l'éducation nouvelle. Elle n'y *croit* pas vraiment. C'est pour ça que ses dragons sont plutôt assommants – tandis que le vôtre, poursuivit la voix de Greicha, est presque aussi réussi que certains des miens. Un régal pour les yeux, même si je n'en ai plus vraiment.

— Vous n'arrêtez pas de dire que vous êtes mort... s'empressa de signaler Deuxfleurs.

— Et alors ?

— Ben, les morts, euh... ils... vous savez, ils ne parlent pas beaucoup. En général.

— J'étais un mage exceptionnellement puissant. Ma fille m'a empoisonné, bien sûr. C'est la méthode de succession de mise dans notre famille, mais... (le cadavre soupira, ou du moins un soupir s'échappa légèrement au-dessus de lui) il est vite devenu clair qu'aucun de mes trois enfants n'est assez puissant pour ravir la seigneurie du Wyrmberg aux deux autres. Une situation qui laisse à désirer. Un royaume comme le nôtre a besoin d'un seul dirigeant. J'ai donc résolu de rester officieusement vivant, ce qui les contrarie tous terriblement, comme de juste. Je ne donnerai à mes enfants la satisfaction de m'enterrer que lorsqu'il n'en restera plus qu'un pour conduire la cérémonie. » Deuxfleurs entendit une vilaine respiration sifflante. Il se dit que c'était censé être un gloussement.

« Alors, c'est l'un d'eux qui nous a enlevés ? demanda-t-il.

— Liessa, répondit la voix du mage défunt. Ma

fille. Son pouvoir est le plus fort, vous savez. Les dragons de mes fils sont incapables de voler sur plus de quelques kilomètres avant de disparaître.

— Disparaître ? J'ai en effet remarqué qu'on voyait à travers celui qui nous a amenés ici. J'ai trouvé ça un peu bizarre.

— Bien sûr, fit Greicha. Le Pouvoir n'opère qu'à proximité du Wyrmberg. C'est la loi du carré inverse, vous voyez. Enfin, je crois. Plus les dragons s'éloignent, plus ils ont tendance à *s'estomper*. Sinon, ma petite Liessa serait maîtresse du monde à présent, telle que je la connais. Mais je ne dois pas vous retenir, je vois ça. Vous allez vouloir sauver votre ami, j'imagine. »

Deuxfleurs resta bouche bée. « Hrun ? fit-il.

— Pas lui. Le mage maigrichon. Mon fils Lio!rt est en train d'essayer de le tailler en pièces. J'ai apprécié la façon dont vous l'avez sauvé. Dont vous allez le sauver, je veux dire. »

Deuxfleurs se redressa de toute sa taille, une tâche facile. « Où est-il ? demanda-t-il en se dirigeant vers la porte d'un pas qu'il espérait héroïque.

— Suivez le sentier dans la poussière, répondit la voix. Liessa passe me voir de temps en temps. Elle continue de venir voir son vieux papa, ma petite fille. Elle seule avait assez de cran pour m'assassiner. C'est bien la fille de son père. Bonne chance, au fait. Je crois me rappeler avoir dit ça. Enfin, que je vais le dire maintenant. »

La voix radoteuse se perdit dans un dédale de conjugaisons tandis que Deuxfleurs enfilait à toutes jambes les tunnels morts et que le dragon bondissait en souplesse à sa suite. Mais le touriste dut bientôt s'appuyer contre un pilier, complètement hors d'haleine. Il avait l'impression de ne pas avoir mangé depuis une éternité.

Pourquoi tu ne voles pas ? demanda Neufroseaux dans sa tête. Le dragon déploya ses ailes et les battit à titre d'essai, ce qui le souleva brièvement de terre. Deuxfleurs le considéra un instant, puis s'élança et se hissa prestement sur le cou de la bête. Ils eurent bientôt décollé ; le dragon filait facilement à quelques pieds du sol en laissant un nuage tourbillonnant de poussière dans son sillage.

Deuxfleurs se cramponna de son mieux alors que Neufroseaux fusait dans une succession de cavernes et s'élançait autour d'un escalier en colimaçon qui aurait accueilli sans peine une armée en déroute. Au sommet, ils débouchèrent dans des secteurs plus passants ; les miroirs aux angles des couloirs étaient soigneusement astiqués et renvoyaient une lumière blafarde.

Je sens d'autres dragons.

Les ailes ne furent plus qu'une masse indistincte, et Deuxfleurs se sentit rejeté en arrière lorsque le dragon vira pour foncer dans un couloir latéral comme une hirondelle folle de moucherons. Un autre virage sec, et ils jaillirent du couloir dans le flanc d'une caverne immense. Il y avait des rochers, loin en dessous, et tout en haut, de grands rais de lumière pénétraient par de larges orifices près du plafond. Où il y avait beaucoup d'activité, d'ailleurs... Alors que Neufroseaux voltigeait, battant lourdement l'air de ses ailes, Deuxfleurs leva le regard vers les silhouettes des bêtes perchées et les tout petits points humanoïdes qui, il ne savait comment, marchaient la tête en bas.

C'est une salle des perchoirs, dit le dragon d'un ton satisfait.

Sous les yeux du touriste, un des points se détacha du plafond et se mit à grossir...

Rincevent regarda le visage pâle de Lio!rt chuter loin de lui. Ça, c'est marrant, bredouilla une petite voix dans sa conscience, pourquoi est-ce que je m'envole ?

Puis il se mit à faire des cabrioles dans les airs, et la réalité s'imposa. Il tombait vers les rochers constellés de guano, tout en bas.

Son cerveau fut pris de vertige à cette seule pensée. Les paroles du Sortilège choisirent ce moment pour remonter des profondeurs de son esprit, comme toujours dans une situation de crise. Pourquoi ne pas nous prononcer ? semblaient-elles insister. Qu'est-ce que tu as à perdre ?

Rincevent agita la main dans son sillage.

« Ashonai », lança-t-il. Le mot se forma devant lui en une flamme bleue et froide qui fila dans le vent de sa chute.

Il agita l'autre main, ivre de terreur et de magie.

« Ebiris », entonna-t-il. Les syllabes se figèrent en un mot orange tremblotant qui se suspendit auprès de son congénère.

« Urshoring. Kvanti. Pythan. N'gurad. Feringo-malee. » Tandis que les mots irradiaient autour de lui leurs couleurs de l'arc-en-ciel, il rejeta les mains en arrière et se prépara à prononcer le huitième et dernier mot qui apparaîtrait en octarine scintillant et conclurait le sortilège. Les rochers tout proches étaient oubliés.

« ... » commença-t-il.

Le choc lui coupa le souffle, le sortilège s'éparpilla et s'éteignit. Deux bras se nouèrent autour de sa taille, et l'Univers bascula de côté lorsque le dragon remonta après son long piqué, les griffes effleurant un bref instant le rocher le plus haut du fond pestilentiel du Wyrmberg. Deuxfleurs éclata d'un rire triomphant.

« Je l'ai eu ! »

Et le dragon, virant avec grâce au sommet de sa chandelle, donna un battement d'ailes nonchalant et fusa par l'ouverture d'une caverne dans l'air du matin.

À midi, dans un grand pré verdoyant sur le plateau luxuriant qui chapeautait le Wyrmberg à l'équilibre incroyable, les dragons et leurs maîtres formaient un large cercle. Il y avait place au-delà pour une foule de serviteurs, d'esclaves et autres miséreux qui tiraient une maigre pitance de ce toit du monde, et tous observaient les silhouettes rassemblées au centre de l'arène herbeuse.

Le groupe réunissait un certain nombre de grands seigneurs des dragons, parmi lesquels Lio!rt et son frère Liartes. Le premier se frottait encore les jambes avec de petites grimaces de douleur. Liessa et Hrun se tenaient un peu à l'écart, entourés de certains partisans de la jeune femme. Entre les deux factions se dressait le gardien héréditaire des traditions du Wyrmberg.

« Comme vous le savez, dit-il d'une voix mal assurée, le Seigneur pas-tout-à-fait défunt du Wyrmberg, Greicha Ier, a stipulé qu'il n'aurait pas de successeur tant qu'un de ses enfants ne se sentirait pas assez fort – ou, le cas échéant, assez forte – pour défier et vaincre ses frères ou sœur dans un combat à mort.

— Oui, oui, on connaît tout ça. Abrège », fit une petite voix irritée, surgie du néant tout près de lui.

Le Gardien des Traditions déglutit. Il n'avait jamais

accepté l'incapacité de son ancien maître à mourir convenablement. Est-ce qu'il est mort, oui ou non, ce vieux vautour ? se demandait-il.

« Il n'est pas sûr, chevrota-t-il, qu'on ait le droit de lancer un défi par personne interposée...

— Mais si, mais si, répondit sèchement la voix désincarnée de Greicha. C'est une preuve d'intelligence. On ne va pas y passer la journée.

— Je vous défie, lança Hrun en foudroyant les frères du regard. Tous les deux ensemble. »

Lio!rt et Liartes échangèrent un coup d'œil.

« Tu veux nous combattre tous les deux ensemble ? fit Liartes, un grand type noueux aux cheveux longs et noirs.

— Ouais.

— Les chances ne sont pas très égales, tu ne trouves pas ?

— Ben si. Je vous suis supérieur en nombre de un contre deux. »

Lio!rt grimaça. « Espèce de barbare arrogant...

— Ça suffit comme ça ! gronda Hrun. Je vais... »

Le Gardien des Traditions avança une main veinée de bleu pour le retenir.

« Il est interdit de se battre sur le Champ du Massacre, dit-il avant de marquer une pause, le temps de réfléchir à la logique de ses propos. Enfin, vous me comprenez », hasarda-t-il. Puis il renonça à s'expliquer davantage et ajouta : « En tant que défiés, messeigneurs Lio!rt et Liartes ont le choix des armes.

— Le dragon », firent-ils en chœur. Liessa grogna.

« On peut se servir du dragon de manière offensive, donc c'est une arme, dit Lio!rt d'un ton ferme. Si tu n'es pas d'accord, un duel réglera le différend.

— Ouais », approuva son frère en hochant la tête à l'adresse de Hrun.

Le Gardien des Traditions sentit un doigt fantomatique lui tapoter la poitrine.

« Ne reste pas là comme ça, la bouche ouverte, dit la voix sépulcrale de Greicha. Dépêche-toi, tu veux ? »

Hrun recula en secouant la tête.

« Oh, non, fit-il. Une fois, ça m'a suffi. J'aime mieux mourir que me battre sur un de ces bestiaux.

— Meurs donc, alors », répliqua le Gardien des Traditions aussi aimablement que possible.

Lio!rt et Liartes repartaient déjà sur le gazon vers les serviteurs qui attendaient auprès de leurs montures. Hrun se tourna vers Liessa. Elle haussa les épaules.

« Je n'ai même pas droit à une épée ? implora-t-il. Ni même à un couteau ?

— Non, répondit-elle. Je n'avais pas prévu ça. » Elle parut soudain plus petite, toute morgue disparue. « Je suis navrée.

— Toi, tu es navrée ?

— Oui. Je suis navrée.

— Oui, il m'a bien semblé entendre que tu étais navrée.

— Ne me regarde pas comme ça ! Je peux t'imaginer le meilleur dragon…

— Non ! »

Le Gardien des Traditions s'essuya le nez sur un mouchoir, tint le petit carré de soie un moment en l'air, puis le lâcha.

Un grondement d'ailes fit pivoter Hrun. Le dragon de Lio!rt avait déjà décollé et virait dans leur direction.

Alors qu'il descendait en piqué au ras du pré, une gerbe de feu lui jaillit de la gueule et traça dans l'herbe un sillon noir qui se rua vers le barbare.

À la dernière seconde, il écarta Liessa d'une poussée et sentit la douleur violente du feu sur son bras tandis qu'il plongeait pour se mettre à l'abri. Il roula en touchant le sol et rebondit sur ses pieds tout en cherchant frénétiquement des yeux l'autre dragon. La bête lui arrivait sur le flanc, et Hrun fut forcé d'effectuer un saut mal calculé à pieds joints pour échapper au jet de feu. La queue du dragon le fouetta au passage et lui flanqua une gifle cuisante en travers du front. Il se releva tant bien que mal et secoua la tête pour chasser les étoiles qui lui tournoyaient devant les yeux. Son dos boursouflé lui hurlait sa souffrance.

Lio!rt revint pour une seconde attaque, mais plus lentement cette fois afin de prendre en compte l'agilité surprenante du colosse. Alors que le sol montait vers lui, il vit le barbare parfaitement immobile, la poitrine haletante, les bras ballants. Une cible facile.

Lorsque son dragon reprit du champ, Lio!rt tourna la tête, s'attendant à voir un gros tison horrible.

Il n'y avait rien. Intrigué, il se retourna à nouveau vers l'avant.

Son regard tomba sur Hrun qui se hissait d'une main sur les écailles d'épaule du dragon et de l'autre étouffait les flammes dans ses cheveux. Lio!rt saisit vite sa dague, mais la douleur avait aiguisé au plus haut point les réflexes déjà excellents de Hrun. Un revers percuta le poignet du seigneur des dragons, envoyant la dague voler vers le pré, et un autre cueillit l'homme au menton.

Le dragon, qui supportait un double poids, ne se trouvait qu'à quelques mètres du sol. Une chance : au moment où Lio!rt perdit connaissance, l'animal disparut d'un coup.

Liessa se précipita sur le pré pour aider un Hrun

titubant à se remettre debout. Il la regarda en clignant des yeux.

« Qu'est-ce qui s'est passé ? Qu'est-ce qui s'est passé ? demanda-t-il d'une voix épaisse.

— C'était vraiment extraordinaire ! dit-elle. Ton saut périlleux dans les airs et tout !

— Ouais, mais qu'est-ce qui *s'est passé ?*

— C'est un peu difficile à expliquer… »

Hrun leva les yeux vers le ciel. Liartes, de loin le plus prudent des deux frères, décrivait des cercles à haute altitude.

« Eh ben, tu as en gros dix secondes pour essayer, dit-il.

— Les dragons…

— Ouais ?

— Ils sont imaginaires.

— Comme toutes ces brûlures imaginaires sur mon bras, tu veux dire ?

— Oui. Non ! » Elle secoua violemment la tête. « Je te raconterai plus tard !

— D'accord, si tu déniches un très bon médium », répliqua sèchement Hrun. Il leva la tête pour lancer un regard noir à Liartes qui commençait à descendre en larges cercles.

« Écoute-moi, tu veux ? Si mon frère est inconscient, son dragon ne peut pas exister, il ne peut pas accéder à notre…

— Sauve-toi ! » cria Hrun. Il la repoussa loin de lui et se jeta à plat ventre tandis que le dragon de Liartes passait dans un grondement de tonnerre et creusait une autre balafre fumante dans le gazon.

Pendant que la créature prenait de la hauteur pour un nouveau piqué, Hrun se remit péniblement debout et fonça à toutes jambes vers les bois qui bordaient

191

l'arène. Des bois clairsemés, guère plus qu'une large haie laissée à l'abandon, mais au moins aucun dragon ne pourrait y voler.

Lequel ne s'y risqua même pas. Liartes posa sa monture sur l'herbe à quelques mètres de là et mit tranquillement pied à terre. Le dragon replia ses ailes et plongea la tête dans la verdure, tandis que son maître s'appuyait contre un arbre et sifflotait un air sans suite.

« Le feu te fera sortir », dit-il au bout d'un moment.

Les fourrés restèrent immobiles.

« Tu te caches peut-être dans ce buisson de houx, là-haut ? »

Le buisson de houx ne fut plus qu'une boule de feu jaunâtre.

« Je suis sûr d'avoir vu bouger dans ces fougères. »

Les fougères ne furent plus que des squelettes de cendre blanche.

« Tu ne fais que retarder l'échéance, barbare. Pourquoi ne pas t'avouer vaincu tout de suite ? J'ai brûlé des tas de gens ; ça ne fait pas du tout mal », reprit Liartes en lançant un regard en coin vers les buissons.

Le dragon poursuivit sa progression dans le petit bois, incinérant chaque buisson et touffe de fougère suspects. Liartes dégaina son épée et attendit.

Hrun se laissa tomber d'un arbre et se mit à galoper dès qu'il eut touché terre. Derrière lui, le dragon rugit et s'écrasa dans les buissons en voulant se retourner, mais le barbare courait, courait, les yeux fixés sur Liartes, une branche morte à la main.

Le fait est peu connu mais authentique : un bipède peut battre un quadrupède à la course sur une courte distance, uniquement à cause du temps que met le quadrupède à faire le tri dans ses pattes. Hrun entendit le raclement des griffes dans son dos puis un claquement sourd de mauvais augure. Le dragon avait à demi ouvert les ailes et tentait de s'envoler.

Alors que Hrun lui fonçait dessus, le seigneur des dragons leva vicieusement son épée qui s'enfonça dans la branche. Le barbare lui rentra alors dedans et les deux hommes roulèrent à terre.

Le dragon rugit.

Liartes hurla lorsque Hrun remonta sèchement son genou avec une précision d'anatomiste, mais il parvint à donner un coup de poing au hasard qui recassa le nez du barbare.

Hrun s'écarta d'une poussée du talon et se remit debout comme il put pour se retrouver face à la tête chevaline et furieuse du dragon aux naseaux dilatés.

Il envoya son pied et percuta la tempe de Liartes qui essayait de se relever. L'homme s'écroula.

Le dragon disparut. La boule de feu qui fusait vers Hrun se dissipa ; ce n'était guère plus qu'une bouffée d'air chaud lorsqu'elle l'atteignit. Puis on n'entendit plus d'autre bruit que le crépitement des buissons en flammes.

Hrun se balança le seigneur des dragons inconscient sur l'épaule et regagna l'arène au petit trot. À mi-chemin, il trouva Lio!rt étalé par terre, dont une des jambes accusait un angle peu élégant. Il se baissa et, avec un grognement, il le hissa sur son épaule libre.

Liessa et le Gardien des Traditions attendaient sur une estrade dressée à une extrémité du pré. La dragonnière avait maintenant recouvré son sang-froid, et c'est d'un air assuré qu'elle regarda Hrun jeter les deux hommes sur les marches à ses pieds. Les gens qui l'entouraient observaient une attitude déférente de courtisans.

« Tue-les, ordonna-t-elle.

— Je tue quand ça me chante, répondit-il. De toute façon, ça n'est pas bien de tuer des adversaires inconscients.

— Je ne vois pas de moment mieux choisi », dit le Gardien des Traditions. Liessa eut un reniflement méprisant.

« Alors, je les bannirai, fit-elle. Une fois hors de portée de la magie du Wyrmberg, ils n'auront plus de pouvoir. Ce ne seront plus que de vulgaires brigands. Cela te satisfait-il ?

— Oui.

— Je suis étonnée de te voir si clément, barb... Hrun. »

Hrun haussa les épaules. « Dans ma position, on n'a pas le choix, faut penser à son image de marque. » Il regarda autour de lui. « Bon, elle est où, la troisième épreuve ?

— Je te préviens, elle est périlleuse. Si tu le désires, tu peux t'en aller maintenant. Mais si tu passes l'épreuve, tu deviendras Seigneur du Wyrmberg et, bien entendu, mon époux légitime. »

Hrun croisa son regard. Il réfléchit à la vie qu'il avait menée jusque-là. Elle lui parut soudain faite de longues nuits humides à la belle étoile, de combats désespérés contre des trolls, des gardes municipaux, d'innombrables bandits et prêtres maléfiques et, au moins en trois occasions, contre d'authentiques demi-dieux – et pour quel résultat ? Enfin, pour des trésors en veux-tu en voilà, il devait le reconnaître. Mais c'était passé où, tout ça ? Sauver des vierges en danger apportait certaines récompenses éphémères, mais la plupart du temps il avait fini par les installer dans une ville ou une autre pourvues d'une dot coquette, parce qu'au bout d'un moment même les ex-vierges les plus charmantes devenaient possessives et ne goûtaient guère ses efforts pour voler au secours de leurs consœurs d'infortune. Bref, la vie ne lui avait en gros rapporté qu'une renommée et tout un réseau de cicatrices. Ça pourrait être marrant de devenir seigneur. Hrun sourit. Une pareille base d'opérations, tous ces dragons et un bon groupe de combattants, voilà qui s'appelait avoir des atouts en main.

Par ailleurs, la donzelle n'avait rien d'un laideron.

« La troisième épreuve ? demanda-t-elle.

— Toujours sans arme ? » fit Hrun.

Liessa leva les mains et ôta son casque, laissant cascader ses boucles de cheveux roux. Puis elle dégrafa la broche de sa robe. En dessous, elle était nue.

Tandis que Hrun la parcourait du regard, son cerveau mit en branle deux machines à calculer imaginaires. L'une évaluait l'or de ses bracelets, les rubis tigrés qui ornaient ses bagues d'orteil, le diamant qui parait son nombril et deux tortillons en filigrane d'argent fort originaux. L'autre était directement branchée sur sa libido. Toutes deux dressèrent un bilan nettement positif.

Elle leva la main pour lui offrir un verre de vin et lui répondit en souriant : « Je ne crois pas. »

« Il n'a rien fait pour te sauver », signala Rincevent à bout d'arguments.

Il se cramponnait de toutes ses forces à la taille de Deuxfleurs tandis que le dragon virait lentement et que le monde s'inclinait selon un angle hasardeux. Aux dernières nouvelles, le dos écailleux qu'il chevauchait n'était qu'une espèce de rêve éveillé, ce qui n'arrangeait en rien la sensation de vertige qui lui tordait les chevilles. Ses pensées revenaient sans cesse à ce qui risquait d'arriver si Deuxfleurs perdait sa concentration.

« Même Hrun n'aurait pas pu l'emporter contre ces arbalètes », affirma le touriste, catégorique.

Alors que le dragon prenait de l'altitude au-dessus de la zone boisée où ils avaient tous trois dormi d'un sommeil humide et inconfortable, le soleil se leva au bord du Disque. Instantanément, les bleus et les gris mornes d'avant l'aube se transformèrent en un fleuve de bronze éclatant qui se déversa sur le monde et flamboya d'or au contact de la glace, de l'eau ou d'un barrage de lumière. (À cause de la densité du champ magique qui enveloppe le Disque, la lumière elle-même se déplace à des vitesses subsoniques ; une intéressante propriété dont a tiré parti le peuple des Sorcas du Grand Nef, par exemple, qui a conçu au fil des siècles des barrages aussi complexes que délicats et des vallées tapissées de silice poli afin de capturer la lumière solaire lente et, en quelque sorte, de l'emmagasiner. Les réservoirs scintillants du Nef, remplis à ras bord après plusieurs semaines de soleil ininterrompu, offrent un spectacle absolument magnifique, vus des airs ; dommage, donc, que Deuxfleurs et Rincevent n'aient pas une seule fois regardé dans cette direction.)

Devant eux, les milliards de tonnes de l'incroyable Wyrmberg édifié par la magie se dressaient contre le ciel, ce qui n'était pas si terrible, jusqu'à ce que Rincevent tourne la tête et voie l'ombre de la montagne se déployer lentement sur la couverture nuageuse du monde…

« Qu'est-ce que tu vois ? » demanda Deuxfleurs au dragon.

Je vois un combat au sommet de la montagne, lui répondit aimablement l'animal.

« Tiens ! fit le touriste. C'est sûrement Hrun en train de se battre pour sa vie. »

Rincevent ne répondit pas. Au bout d'un moment, Deuxfleurs se retourna. Le mage avait le regard fixe, perdu dans le néant, et ses lèvres remuaient en silence.

« Rincevent ? »

Son compagnon lâcha un petit croassement.

« Pardon, fit Deuxfleurs. Qu'est-ce que tu dis ?

— ... jusqu'au bout... la Grande Cataracte... » marmonna Rincevent. Ses yeux reprirent vie, parurent un instant surpris, puis s'écarquillèrent de terreur. Il commit l'erreur de regarder en bas.

« Aaargl », commenta-t-il avant de commencer à glisser. Deuxfleurs le rattrapa.

« Qu'est-ce qui se passe ? »

Rincevent essaya de fermer les yeux, mais son imagination n'avait pas de paupières et elle n'en perdait pas une miette.

« Ça ne te fait pas peur, l'altitude ? » parvint-il à dire.

Deuxfleurs contempla le paysage tout petit en dessous, tacheté d'ombres de nuages. L'idée d'avoir peur ne lui était pas venue.

« Non, répondit-il. Pourquoi ? On meurt tout pareil quand on tombe de dix mètres ou de dix mille, c'est ce que je dis toujours. »

Rincevent s'efforça de réfléchir calmement à l'argument mais n'y trouva pas de logique. Ce n'était pas la chute en elle-même, mais le choc qu'il...

Deuxfleurs le rattrapa d'un geste vif.

« Tiens-toi bien, dit-il d'un ton joyeux. On y est presque.

— Je voudrais être revenu en ville, gémit Rincevent. Je voudrais être revenu sur le plancher des vaches !

— Je me demande si les dragons peuvent voler jusqu'aux étoiles ? fit Deuxfleurs d'une voix songeuse. Ça, ce serait vraiment quelque chose…

— Tu es dingue », répliqua tout net Rincevent. Comme l'autre ne répondait pas, le mage se tordit le cou vers l'avant et découvrit avec horreur la figure de Deuxfleurs levée vers les étoiles pâlissantes, fendue d'un drôle de sourire.

« Ne t'avise pas à ça », ajouta-t-il, menaçant.

L'homme que tu cherches discute avec la femme aux dragons, dit Neufroseaux.

« Hmmm ? fit Deuxfleurs qui regardait toujours les étoiles de plus en plus indistinctes.

— Quoi ? demanda aussitôt Rincevent.

— Ah oui. Hrun, fit Deuxfleurs. J'espère qu'on arrive à temps. Plonge, maintenant ! Descends ! »

Rincevent ouvrit les yeux tandis que le vent s'enflait en une bourrasque sifflante. Le vent les lui avait peut-être ouverts de force – en tout cas il les empêchait de se fermer.

Le sommet plat du Wyrmberg monta vers eux, tangua dangereusement puis culbuta pour n'être plus qu'une traînée verte qui défila en trombe de chaque côté. Des bois et des champs miniatures se fondirent en une tache bigarrée qui se précipita à leur rencontre. Un bref éclair argenté fusa dans le paysage : sans doute le petit fleuve qui se jetait dans le vide au bord du plateau. Rincevent s'efforça de chasser ces souvenirs de sa tête, mais ils s'y trouvaient bien, s'amusaient à terroriser les autres occupants et à culbuter le mobilier à coups de pieds.

« Je ne crois pas », répondit Liessa.

Hrun accepta lentement la coupe de vin. Il souriait comme une citrouille un soir de Halloween.

Autour de l'arène, les dragons se mirent à donner de la voix. Leurs maîtres levèrent les yeux. Une espèce de traînée verte traversa l'arène en trombe, et Hrun disparut.

La coupe de vin resta un instant suspendue dans les airs puis s'écrasa sur les marches. Alors seulement, une goutte s'en échappa.

Ceci parce qu'à la seconde précise où il saisissait avec précaution Hrun dans ses griffes, Neufroseaux avait momentanément synchronisé leurs rythmes vitaux. Vu que la dimension de l'imaginaire est beaucoup plus complexe que celles du temps et de l'espace, dimensions extrêmement mineures en vérité, cette manœuvre eut pour conséquence de transformer séance tenante un Hrun stationnaire et priapique en un Hrun lancé latéralement à cent cinquante kilomètres-heure sans autre effet désastreux que quelques gorgées de vin perdues. Seconde conséquence : Liessa poussa un hurlement de rage et invoqua son dragon. Dès que la bête dorée se matérialisa devant elle, la jeune femme bondit en selle, toujours nue, et arracha son arbalète à un garde. Puis elle décolla tandis que les autres dragonniers se ruaient en masse vers leurs propres montures.

Posté en observateur derrière le pilier où il s'était prudemment éclipsé durant la folle bousculade, le Gardien des Traditions capta alors fortuitement les échos interdimensionnels d'une théorie en train d'éclore au même instant dans le cerveau d'un psychiatre précurseur d'un univers adjacent ; peut-être parce que la fuite dimensionnelle s'effectuait dans les deux sens, le psychiatre aperçut fugitivement la fille sur le dragon. Le Gardien des Traditions sourit.

« Tu veux parier qu'elle ne le rattrapera pas ? » demanda Greicha d'une voix qui sentait les vers et le sépulcre, tout près de son oreille.

Le Gardien des Traditions ferma les yeux et déglutit avec force.

« Je croyais que Monseigneur aurait maintenant définitivement élu domicile dans le Pays de l'Épouvante, parvint-il à dire.

— Je suis un mage, fit Greicha. La Mort en personne vient chercher un mage. Et, ah, ah, apparemment il n'est pas dans le coin...

— On y va ? » demanda la Mort.

Il montait un cheval blanc, un cheval de chair et d'os mais à l'œil rouge et aux naseaux ardents ; il tendit une main osseuse, cueillit l'âme de Greicha, la roula jusqu'à ce qu'elle ne soit plus qu'un point de lumière douloureuse, puis il l'avala.

Ensuite il éperonna son coursier qui bondit dans les airs en faisant jaillir des étincelles sous ses sabots.

« Seigneur Greicha ! murmura le vieux Gardien des Traditions alors que l'Univers clignotait autour de lui.

— Ça, c'était une sale blague, lui parvint la voix du mage, grain de poussière sonore qui disparaissait dans les dimensions infinies des ténèbres.

— Monseigneur... à quoi ressemble la Mort ? cria le vieillard en chevrotant.

— Je vais étudier la question à fond, et après je te le dirai, lui répondit une toute petite modulation dans la brise.

— Oui », murmura le Gardien des Traditions. Une pensée lui vint. « Plutôt dans la journée, s'il vous plaît », ajouta-t-il.

« Espèces de gugusses, hurla Hrun perché sur les griffes des pattes antérieures de Neufroseaux.

— Qu'est-ce qu'il dit ? rugit Rincevent tandis que le dragon fendait les airs dans sa recherche d'altitude.

— Rien entendu ! » beugla Deuxfleurs dont la voix fut emportée dans la bourrasque. Comme le dragon virait légèrement, il regarda en dessous la toupie miniature qu'était à présent le puissant Wyrmberg et vit l'essaim de créatures qui montait à leur poursuite. Les ailes de Neufroseaux n'arrêtaient pas de brasser l'air à petits coups dédaigneux. Un air plus rare, d'ailleurs. Les oreilles de Deuxfleurs se débouchèrent brusquement pour la troisième fois.

En tête de l'essaim, remarqua-t-il, volait un dragon doré. Un dragonnier le montait.

« Hé, ça va bien ? » s'inquiéta instamment Rincevent. Il dut avaler plusieurs fois à pleins poumons l'air étrangement distillé pour sortir sa phrase.

« J'aurais pu être un seigneur, et vous, les gugusses, il a fallu que vous veniez… hoqueta Hrun tandis que l'atmosphère raréfiée et glacée aspirait la vie de sa poitrine pourtant puissante.

— Gu'est-ce gui s'basse, aveg l'air ? » marmonna Rincevent. Des lumières bleues apparurent devant ses yeux.

« Ouch », fit Deuxfleurs, et il perdit connaissance.

Le dragon disparut.

Pendant quelques secondes, les trois hommes continuèrent de monter. Deuxfleurs et le mage offraient un étrange tableau, assis l'un devant l'autre, jambes écartées, à califourchon sur quelque chose qui n'existait plus. Puis ce qui tenait lieu de gravité sur le Disque revint de sa surprise et réclama son dû.

À cet instant, le dragon de Liessa passa en flèche, et Hrun lui atterrit lourdement sur le cou. Liessa se pencha et l'embrassa.

Ce détail échappa à Rincevent qui poursuivait sa chute, les bras toujours serrés autour de la taille du touriste. Le Disque ressemblait à une petite mappemonde épinglée sur le ciel. Il ne donnait pas l'impression de bouger, mais Rincevent savait qu'il n'en était rien. Le monde entier lui fonçait dessus comme une tarte à la crème géante.

« Réveille-toi ! hurla-t-il par-dessus le rugissement du vent. Les dragons ! Pense à des dragons ! »

Il y eut un concert de battements d'ailes lorsqu'ils plongèrent à travers l'escadrille de créatures lancées à leur poursuite ; puis le crépitement s'estompa vers les hauteurs. Les dragons hurlèrent et virèrent sec dans le ciel.

Aucune réponse de Deuxfleurs. La robe de Rincevent claquait autour de lui, mais il ne se réveillait pas.

Des dragons, songea Rincevent, pris de panique. Il essaya de se concentrer, essaya d'imaginer un dragon aussi vrai que nature. Si lui, il y arrive, se dit-il, alors moi, je peux en faire autant. Mais rien ne se produisit.

Le Disque était plus grand à présent, cercle enveloppé de tourbillons nuageux qui montait lentement à leur rencontre.

Rincevent essaya encore, il plissa les yeux et banda le moindre de ses nerfs. Un dragon. Son imagination, organe plutôt malmené et surmené, se tendit vers un dragon… n'importe lequel.

« ÇA NE MARCHERA PAS, se moqua une voix au

timbre sourd de glas funèbre. TU NE CROIS PAS AUX DRAGONS. »

Rincevent regarda l'horrible apparition équestre qui lui souriait, et son cerveau s'emballa de terreur.

Il y eut un éclair éblouissant.

Il y eut des ténèbres soudaines.

Une surface moelleuse se matérialisa sous les pieds du mage, une lumière rose le baigna, et un concert de cris stupéfaits s'éleva soudain.

Il jeta autour de lui un regard affolé. Il se tenait debout dans une espèce de tunnel principalement occupé par des sièges où l'on avait attaché des hommes et des femmes vêtus d'accoutrements barbares. Tout le monde lui criait dessus.

« Réveille-toi ! souffla-t-il. Aide-moi ! »

Traînant derrière lui le touriste toujours inconscient, il s'éloigna à reculons de la foule jusqu'à ce que sa main libre trouve une poignée de porte à la forme bizarre. Il l'actionna, se baissa pour passer par l'ouverture, puis claqua le battant avec force.

Son regard fit le tour de la nouvelle pièce où il venait de pénétrer et croisa celui terrifié d'une jeune femme qui lâcha le plateau qu'elle tenait pour pousser des hurlements.

Des hurlements du genre qui rameute des secours musclés. Saturé d'adrénaline sécrétée par la peur, Rincevent pivota et la bouscula pour passer. Il y avait encore des sièges dans ce tunnel-ci, et leurs occupants se tassèrent lorsque le mage remorqua en vitesse Deux-fleurs le long de l'allée centrale. De l'autre côté des rangées de sièges, il y avait de petites fenêtres. De l'autre côté des petites fenêtres, sur fond de nuages floconneux, il y avait l'aile d'un dragon. Une aile argentée.

Je me suis fait avaler par un dragon, songea-t-il. C'est idiot, se rétorqua-t-il, on ne voit pas à l'extérieur des dragons quand on est dedans. Son épaule heurta alors la porte à l'extrémité du tunnel et il la franchit pour pénétrer dans un local de forme conique encore plus curieux que le tunnel.

Il fourmillait de toutes petites lumières scintillantes. Au milieu des lumières, dans des fauteuils adaptés à leur morphologie, quatre hommes le fixaient, bouche bée. Alors qu'il les dévisageait lui aussi, il vit leurs regards coulisser en coin.

Rincevent se tourna lentement. À côté de lui se tenait un cinquième homme : jeune, barbu, aussi basané que le peuple des nomades du Grand Nef.

« Où je suis ? fit le mage. Dans le ventre d'un dragon ? »

Le jeune homme recula en se ramassant et brandit une petite boîte noire sous le nez du mage. Les hommes dans leurs fauteuils se baissèrent brusquement.

« C'est quoi ? demanda Rincevent. Une boîte à images ? » Il avança la main et s'en saisit ; le mouvement eut l'air de surprendre le jeune basané qui poussa un cri et voulut récupérer son bien. Il y eut un autre cri, poussé cette fois par un des occupants des fauteuils. Sauf que maintenant, il n'était plus assis. Il se levait et pointait un petit objet métallique sur le jeune homme.

Ce qui eut un effet étonnant. Le jeune basané s'accroupit à nouveau, les bras en l'air.

« Donnez-moi la bombe, s'il vous plaît, dit l'homme qui tenait l'objet métallique. Avec précaution, je vous prie.

— Ce truc-là ? fit Rincevent. Prenez-le ! Je n'en veux pas ! » L'homme s'en saisit prudemment et le posa par terre. Ceux restés assis se détendirent, et l'un d'eux se mit à parler au mur d'un ton pressant. Le mage l'observa, ahuri.

« *Ne bouge pas !* » jeta sèchement l'homme qui tenait l'objet métallique – une amulette décréta Rincevent, c'est sûrement une amulette. Le jeune basané recula dans l'angle.

« Vous avez fait preuve d'un grand courage, dit à Rincevent le porteur d'amulette. Vous le savez ?

— Quoi ?

— Qu'est-ce qu'il a, votre ami ?

— Mon ami ? »

Rincevent baissa les yeux sur Deuxfleurs, qui dormait toujours paisiblement. Ce n'était pas une surprise. Ce qui en était une, en revanche, c'est que le touriste portait de nouveaux vêtements. Des vêtements bizarres. Ses hauts-de-chausses s'arrêtaient maintenant juste au-dessus du genou. Il portait aussi une espèce de gilet en tissu aux rayures gaies. Il avait le crâne coiffé d'un petit chapeau de paille ridicule. Piqué d'une plume.

Une sensation de gêne du côté des jambes fit baisser la tête au mage. Ses vêtements à lui avaient changé eux aussi. Au lieu de sa vieille robe confortable, si merveilleusement adaptée aux réactions rapides en toutes circonstances, ses jambes étaient enfermées dans des tubes d'étoffe. Il portait une veste du même tissu gris…

Il n'avait à ce jour jamais entendu la langue que parlait l'homme à l'amulette. Une langue rude qui rappelait vaguement l'axlandais – alors pourquoi arrivait-il à en comprendre chaque mot ?

Voyons voir, ils avaient soudain surgi dans ce dragon après… ils s'étaient matérialisés dans ce drag… ils avaient soud… ils avaient… ils avaient… *ils avaient si naturellement lié conversation à l'aéroport qu'ils avaient décidé d'occuper des sièges voisins dans l'avion, et il avait promis à Jack Zweiblumen de lui faire visiter les États-Unis dès leur arrivée.* Oui, c'était ça. Ensuite Jack avait eu un malaise, alors il avait paniqué et l'avait emmené dans la cabine où il avait surpris ce pirate de l'air. Évidemment. Qu'est-ce que ça pouvait bien vouloir dire : axlandais ?

Le docteur Rjinswand se frotta le front. Ce qu'il lui fallait, c'était un bon verre.

Des ondes de paradoxe se propagèrent sur l'océan de la Causalité.

Il est un point, sans doute capital, que doit garder à l'esprit tout observateur extérieur à l'ensemble du multivers : si le mage et le touriste venaient tout récemment d'apparaître dans un avion en plein ciel, dans le même temps ils y voyageaient aussi tout à fait normalement. Autrement dit : s'ils avaient effectivement surgi dans cet assortiment particulier de dimensions, ils y avaient également toujours vécu. C'est ici que le langage courant abandonne la partie et va prendre un verre.

Le fait est que plusieurs millions de milliards d'atomes venaient de se matérialiser (pour tout dire, non – voir plus bas) dans un univers où ils n'auraient pas dû se trouver. D'ordinaire, ce genre de situation se solde par une formidable explosion, mais comme les univers sont par nature plutôt prompts à réagir, celui-ci s'était protégé en dévidant instantanément son continuum spatio-temporel jusqu'à pouvoir aisément loger les atomes en surplus, puis en le rembobinant jusqu'à ce petit halo lumineux de feu de camp que ses habitants, faute d'un meilleur terme, appellent communément le Présent. L'Histoire en avait bien sûr été modifiée – quelques guerres en moins, quelques dinosaures en plus et ainsi de suite – mais, dans l'ensemble, l'épisode ne fit guère de bruit.

Hors de cet univers particulier, pourtant, les répercussions de ce soudain dédoublement rebondirent en va-et-vient à la face du Grand Tout, incurvant des dimensions entières et engloutissant des galaxies sans laisser de traces.

Tout ceci échappa complètement au docteur Rjinswand, trente-trois ans, célibataire, né en Suède, élevé dans le New Jersey, spécialiste des phénomènes de rupture par oxydation de certains réacteurs nucléaires. N'importe comment, il n'en aurait pas cru un mot.

Zweiblumen avait toujours l'air inconscient. L'hôtesse, qui avait aidé Rjinswand à regagner son siège sous les applaudissements des autres passagers, se penchait sur lui avec inquiétude.

« Nous avons envoyé un message radio, dit-elle à Rjinswand. Une ambulance attendra à l'atterrissage. Euh… d'après la liste des passagers, vous êtes docteur…

— Je ne sais pas ce qu'il a, s'empressa de répondre Rjinswand. Ce serait sans doute différent s'il s'agissait d'un réacteur Magnox, évidemment. Il a peut-être reçu une sorte de choc ?

— Je n'ai jamais… »

Un fracas épouvantable à l'arrière de l'appareil termina la phrase de l'hôtesse. Plusieurs passagers poussèrent des cris. Une bourrasque soudaine emporta magazines et journaux épars dans une tornade hurlante qui serpenta follement dans l'allée centrale.

Mais autre chose la remontait, l'allée. Quelque chose

d'imposant, d'oblong, en bois et cerclé de cuivre. Monté sur des centaines de pattes. Si c'était bien ce qu'on croyait voir – un coffre ambulant comme on en trouve dans les histoires de pirates, remplis à ras bord d'or et de joyaux mal acquis – alors ce qui devait être son couvercle s'ouvrit brusquement en grand.

Il n'y avait pas de joyaux. Mais une multitude de grosses dents carrées, blanches comme du sycomore, et une langue palpitante, rouge comme de l'acajou.

Une valise d'un autre âge venait le dévorer.

Rjinswand se cramponna à Zweiblumen inconscient pour y trouver un semblant de réconfort et se mit à bredouiller. Il souhaita de tout son cœur se retrouver ailleurs...

Il y eut des ténèbres soudaines.

Il y eut un éclair éblouissant.

Le brusque départ de plusieurs millions de milliards d'atomes d'un univers où ils n'avaient de toute manière aucun droit de se trouver provoqua un violent déséquilibre dans l'harmonie du Grand Tout, qu'il tenta fébrilement de corriger, effaçant du même coup un certain nombre de sous-réalités. D'immenses vagues de magie brute bouillonnèrent sans retenue autour des fondations même du multivers, affluèrent par la moindre fissure dans des dimensions jusque-là paisibles et entraînèrent des novæ, des supernovæ, des collisions stellaires, des vols désordonnés d'oies sauvages et l'engloutissement de continents imaginaires. Des mondes éloignés, situés à l'autre bout du temps, connurent des couchers de soleil magnifiques d'octarine scintillant lorsque des particules à haute teneur magique traversèrent l'atmosphère en grondant. Dans le halo cométaire entourant le légendaire Système Glaciaire de Zeret, une noble comète mourut tandis qu'un prince flamboyait dans les cieux.

Tout ceci échappa complètement à Rincevent qui, cramponné à la taille d'un Deuxfleurs inerte, plongeait vers la mer du Disque, quelques centaines de mètres plus bas. Même les convulsions de toutes les dimensions ne pouvaient briser l'inflexible loi de la Conservation de l'énergie, et le bref trajet en avion de Rjinswand avait suffi à le transporter, horizontalement, à plusieurs centaines de kilomètres de distance, et verticalement, à sept mille pieds d'altitude.

Le mot « avion » s'embrasa puis s'éteignit dans la tête de Rincevent.

N'était-ce pas un bateau, là, en dessous ?

Les eaux froides de la mer Circulaire montèrent en rugissant à sa rencontre et l'aspirèrent dans leur étreinte verte et suffocante. L'instant d'après s'éleva une autre gerbe d'éclaboussures lorsque le Bagage, encore affublé d'une étiquette marquée de la puissante rune de voyage TWA, prit à son tour contact avec la mer.

Plus tard, ils s'en servirent comme radeau.

QUATRIÈME PARTIE

PRÈS DU BORD

Sa construction avait duré longtemps. Elle était maintenant quasiment terminée, et les esclaves la débarrassaient à coups de pics des derniers vestiges d'argile de son manchon.

Là où d'autres esclaves frottaient industrieusement ses flancs de métal avec du sable d'argent, elle brillait déjà au soleil du lustre soyeux et organique du bronze tout neuf. Elle était encore chaude, même après une semaine de refroidissement dans la fosse de coulée.

L'Archiastronome de Krull fit un geste léger de la main, et ses porteurs déposèrent le trône dans l'ombre de la coque.

Comme un poisson, songea-t-il. Un grand poisson volant. Mais de quelles mers ?

« Elle est vraiment magnifique, murmura-t-il. Une authentique œuvre d'art.

— D'artisanat », rectifia l'homme trapu à côté de lui. L'Archiastronome se tourna lentement et leva la tête vers le visage impassible de son voisin. Pas très difficile d'avoir un visage impassible quand on a deux sphères d'or à la place des yeux. Elles luisaient d'un éclat déroutant.

211

« D'artisanat, parfaitement, fit l'astronome qui sourit. J'imagine qu'il n'existe pas de plus grand artisan que toi sur tout le Disque, Yeux d'Or. Je me trompe ? »

L'artisan marqua un temps, son corps nu – enfin, nu à l'exception d'une ceinture d'outils, d'un abaque de poignet et d'un hâle prononcé – se raidit tandis qu'il réfléchissait aux implications de cette dernière remarque. Les yeux d'or donnaient l'impression de contempler un autre monde.

« La réponse est à la fois oui et non », dit-il enfin. Certains des astronomes de rang inférieur debout derrière le trône s'étranglèrent devant un tel manquement à l'étiquette, mais l'Archiastronome eut l'air de n'avoir rien remarqué.

« Continue, dit-il.

— Il me manque certains talents essentiels. Je n'en suis pas moins Yeux d'Or Main d'Argent Dactylos, déclara l'artisan. J'ai réalisé les Guerriers de Métal qui gardent le tombeau de Pitchiu, j'ai conçu les Barrages de Lumière du Grand Nef, j'ai bâti le Palais des Sept Déserts. Et pourtant... – il leva la main et se tapota un œil, qui résonna légèrement – quand j'ai créé l'armée de golems pour Pitchiu, il m'a couvert d'or et ensuite, pour m'empêcher d'en reproduire une autre capable de concurrencer la sienne, il m'a fait crever les yeux.

— Décision sage mais cruelle, compatit l'Archiastronome.

— Oui. Alors j'ai appris à *entendre* la trempe des métaux et à voir avec mes doigts. J'ai appris à distinguer les minerais au goût et à l'odeur. Je me suis fabriqué ces yeux, mais je ne peux pas leur donner la vue.

» Puis on m'a sommé de bâtir le Palais des Sept Déserts, à la suite de quoi l'Émir m'a couvert d'argent et – ce qui ne m'a pas trop étonné – m'a fait couper la main.

— Un sérieux handicap dans ta profession, reconnut l'Archiastronome.

— J'ai utilisé une partie de l'argent pour me confectionner cette nouvelle main, où j'ai mis en application ma connaissance incomparable des leviers et des pivots. Elle me satisfait. Puis j'ai créé le premier grand barrage de lumière, d'une capacité de cinquante mille heures de jour, et alors les conseils tribaux du Nef m'ont comblé de soies précieuses et coupé les jarrets pour m'empêcher de m'enfuir. En conséquence, je me suis donné beaucoup de mal pour imaginer, à partir de la soie et de quelques bambous, une machine volante avec laquelle je me suis lancé de la tourelle la plus haute de ma prison.

— Et qui t'a conduit, après maints détours, à Krull, conclut l'Archiastronome. Force est de penser que dans une autre profession – la culture des laitues, par exemple – tu t'exposerais moins à cette mort par épisodes. Pourquoi t'obstiner ? »

Yeux d'Or Dactylos haussa les épaules.

« J'ai des dispositions pour ça », répondit-il.

L'Archiastronome leva encore les yeux sur le poisson de bronze qui brillait maintenant comme un gong au soleil de midi.

« Une telle beauté... murmura-t-il. Et unique. Approche, Dactylos. Rappelle-moi ce que je t'ai promis comme récompense ?

— Vous m'avez demandé de créer un poisson capable de nager dans les océans de l'espace qui s'étendent entre les mondes, psalmodia le maître artisan. En échange de quoi... en échange...

— Oui ? Ma mémoire n'est plus ce qu'elle était,

ronronna l'Archiastronome en caressant le bronze chaud.

— En échange, poursuivit Dactylos, visiblement sans grand espoir, vous me donneriez la liberté et vous éviteriez de me couper le moindre appendice. Je ne demande aucune richesse.

— Ah, oui. Je me rappelle maintenant. » Le vieil homme leva une main veinée de bleu. « J'ai menti », ajouta-t-il.

Il y eut un sifflement à peine perceptible, et le maître artisan vacilla sur ses jambes. Il baissa ensuite ses yeux d'or sur la pointe de flèche qui lui dépassait de la poitrine et hocha la tête d'un air las. Une toute petite tache de sang lui fleurit sur les lèvres.

Le silence régnait sur l'ensemble de la place (en dehors du bourdonnement de quelques mouches impatientes) tandis que sa main d'argent montait très lentement et tâtait la pointe de flèche.

Dactylos grogna.

« Facture bâclée », dit-il et il s'écroula en arrière.

L'Archiastronome poussa le cadavre du bout de l'orteil et soupira.

« Nous respecterons une courte période de deuil, comme il sied pour un maître artisan », dit-il. Il regarda une mouche bleue se poser sur un œil d'or et repartir perplexe. « Je pense que ça doit suffire », reprit-il, et il fit signe à deux esclaves d'enlever le corps.

« Les chélonautes sont-ils prêts ? » demanda-t-il.

Le maître contrôleur de lancement s'avança, l'air affairé.

« Tout à fait, Votre Proéminence.

— Combien de temps jusqu'à la porte ?

— La fenêtre de lancement, corrigea prudemment le contrôleur de lancement. Trois jours, Votre

Proéminence. La queue de la Grande A'Tuin sera dans une position idéale.

— Il ne nous reste donc plus, conclut l'Archiastronome, qu'à trouver les sacrifices adéquats. »

Le maître contrôleur de lancement s'inclina.

« L'Océan y pourvoira », dit-il.

Le vieil homme sourit. « Il n'y manque jamais. »

« Si seulement tu savais naviguer...

— Si seulement tu savais tenir une barre... »

Une vague déferla sur le pont. Rincevent et Deux-fleurs s'entre-regardèrent. « Continue d'écoper ! » crièrent-ils à l'unisson et ils tendirent la main vers les seaux.

Au bout d'un moment, la voix grincheuse de Deux-fleurs monta de la cabine envahie d'eau.

« Je ne vois pas pourquoi ce serait de ma faute. » Il tendit au-dessus de lui un autre seau que le mage vida par-dessus bord.

« Tu étais censé tenir le quart, lança sèchement Rincevent.

— Je nous ai sauvés des marchands d'esclaves, souviens-toi.

— J'aime mieux être un esclave qu'un cadavre », répliqua le mage. Il se redressa et scruta le large. Il parut surpris.

C'était un Rincevent quelque peu différent de celui qui avait échappé à l'incendie d'Ankh-Morpork six mois plus tôt. Il portait davantage de cicatrices, par exemple, et connaissait beaucoup mieux le monde. Il avait visité l'Axlande, découvert les coutumes curieuses de nombreuses peuplades pittoresques – récoltant immanquablement de nouvelles cicatrices au passage –

et avait même, pendant quelques jours inoubliables, navigué sur le légendaire océan Déshydraté au cœur du désert incroyablement sec qu'on appelait le Grand Nef. Sur une mer plus froide et plus humide, il avait vu flotter des montagnes de glace. Il avait chevauché un dragon imaginaire. Il avait failli prononcer le sortilège le plus puissant du Disque. Il…

… il y avait bel et bien moins d'horizon qu'il n'aurait fallu.

« Hmmm ? fit Rincevent.

— J'ai dit : il n'y a rien de pire que l'esclavage », répéta Deuxfleurs. Sa bouche s'ouvrit lorsque le mage expédia son seau loin dans la mer et s'assit lourdement sur le pont détrempé, un masque gris sur la figure.

« Écoute, je regrette de nous avoir jetés sur le récif, mais ce bateau n'a pas l'air de vouloir couler et on va bien finir par toucher terre tôt ou tard, dit Deuxfleurs en manière de réconfort. Ce courant aboutit forcément quelque part.

— Regarde l'horizon », fit Rincevent d'une voix monocorde.

Deuxfleurs plissa les yeux.

« Il l'air normal, conclut-il au bout d'un moment. D'accord, on dirait qu'il y en a moins que d'habitude, mais…

— C'est à cause de la Grande Cataracte, expliqua Rincevent. On est entraînés, on va passer par-dessus le bord du monde. »

Suivit un long silence uniquement troublé par le clapotis des vagues tandis que le bateau en perdition tournoyait lentement dans le courant. Un courant déjà fort.

« C'est sans doute pour ça qu'on est rentrés dans le

récif, ajouta le mage. On a été déviés de notre route pendant la nuit.

— Tu veux manger quelque chose ? » demanda le touriste. Il se mit à farfouiller dans le balluchon qu'il avait arrimé au sec sur le plat-bord.

« Tu ne comprends pas ? lança Rincevent d'une voix hargneuse. On va passer par-dessus Bord, bons dieux !

— On ne peut rien y faire ?

— Non !

— Alors, je ne vois pas de raison de s'affoler, dit calmement Deuxfleurs.

— Je le savais bien qu'il ne fallait pas aller si loin vers le Bord, se lamenta Rincevent en prenant le ciel à témoin. Je regrette…

— Je regrette de ne pas avoir ma boîte à images, dit Deuxfleurs, mais elle est restée sur le bateau des marchands d'esclaves avec le Bagage et…

— Tu n'auras pas besoin de bagages là où on va », dit Rincevent. Il s'affaissa et observa d'un œil morne une baleine au loin qui s'était imprudemment aventurée dans le courant du Bord et luttait maintenant pour le remonter.

Une ligne blanche marquait l'horizon réduit, et le mage crut entendre un rugissement lointain.

« Qu'est-ce qui se passe quand un bateau a passé par-dessus Bord ? demanda Deuxfleurs.

— Va savoir.

— Eh bien, alors, peut-être qu'on va continuer de naviguer dans l'espace et qu'on va se poser sur un autre monde. » Le regard du petit homme se perdit dans le vague. « Ça me plairait bien. »

Rincevent grogna.

Le soleil se leva dans le ciel ; il paraissait nettement plus gros, si près du Bord. Debout, adossés au mât, les deux compagnons étaient plongés dans leurs pensées. De temps en temps, l'un ou l'autre ramassait un seau pour écoper sans conviction, sans raison vraiment valable.

La mer autour d'eux avait l'air de plus en plus fréquentée. Rincevent remarqua plusieurs troncs d'arbres qui stationnaient à leur niveau, et à fleur d'eau grouillaient toutes sortes de poissons. Forcément : le courant devait charrier quantité de nourriture arrachée aux continents voisins du Moyeu. Il se demanda à quoi ressemblait une existence passée à nager sans cesse pour rester exactement à la même place. En gros à sa propre existence, conclut-il. Il aperçut une petite grenouille verte qui pataugeait désespérément, entraînée par le courant inexorable. Au grand étonnement de Deuxfleurs, il trouva une rame et la tendit prudemment vers le petit amphibien qui se hissa dessus avec reconnaissance. Dans la seconde qui suivit, une paire de mâchoires creva la surface et claqua vainement là où elle nageait précédemment.

La grenouille leva les yeux vers Rincevent, nichée dans ses mains en coupe, puis elle lui mordit le pouce en guise de remerciement. Deuxfleurs gloussa. Rincevent rangea la bestiole dans une poche et fit semblant de n'avoir rien entendu.

« Tout ça, c'est très charitable, mais quel intérêt ? demanda Deuxfleurs. Ça reviendra au même dans une heure.

— Parce que », répondit distraitement Rincevent qui se remit à écoper un peu. Des embruns volaient à présent, et le courant était si fort que des vagues se formaient et se brisaient tout autour d'eux. Le fond de l'air avait une tiédeur anormale. Une brume chaude et dorée flottait sur la mer.

Le grondement s'était amplifié. Une pieuvre plus grosse que tout ce que connaissait Rincevent émergea à quelques centaines de mètres et battit follement des tentacules avant de replonger. Une autre créature, immense et par bonheur non identifiable, hurla dans la brume. Toute une escadrille de poissons volants jaillit dans un nuage de gouttelettes irisées et réussit à gagner quelques mètres avant de retomber et de se faire entraîner par un tourbillon.

Le monde commençait à devenir trop petit pour eux. Rincevent lâcha son seau et s'agrippa au mât tandis que l'ultime et rugissante fin de tout se précipitait à leur rencontre.

« Il faut que je voie ça... » fit Deuxfleurs qui se dirigea vers la proue, mi-tombant, mi-plongeant.

Quelque chose de dur et de rigide cogna dans la coque qui pivota de quatre-vingt-dix degrés et se colla de travers contre l'obstacle invisible. Puis le bateau s'immobilisa soudain et une cascade d'écume glacée déferla sur le pont, si bien que pendant quelques secondes, le mage se retrouva sous un bon mètre d'eau verte bouillonnante. Il se mit à crier, puis le monde sous-marin se teinta du mauve profond et sonore de la perte de conscience, car c'est à peu près à ce moment-là que Rincevent commença de se noyer.

Il se réveilla, la bouche pleine d'un liquide brûlant, et lorsqu'il avala, la douleur cuisante dans sa gorge le fit d'un coup complètement revenir à lui.

Les planches d'un bateau lui rentraient dans le dos, et Deuxfleurs, penché sur lui, le regardait d'un air de profonde inquiétude. Rincevent gémit et se mit en position assise.

C'était une erreur. Le bord du monde se trouvait à moins de deux mètres.

Au-delà, juste en dessous de la limite de la Cataracte sans fin, il y avait quelque chose de tout à fait magique.

À plus de cent kilomètres de là, et bien en dehors de la zone d'attraction du courant, un dhaw aux voiles rouges typiques d'un marchand d'esclaves indépendant dérivait sans but dans le crépuscule velouté. L'équipage – ou ce qu'il en restait – s'était attroupé sur le gaillard d'avant autour des hommes qui travaillaient fébrilement au radeau.

Le capitaine, un costaud qui portait les turbans de coude propres aux tribus du Grand Nef, avait beaucoup bourlingué, beaucoup vu de choses étranges et de gens bizarres, qu'il avait ensuite pour la plupart volées ou réduits en esclavage. Il avait commencé sa carrière comme marin sur l'océan Déshydraté au cœur du désert le plus aride du Disque. (Sur le Disque, l'eau se présente sous un quatrième état inhabituel, dû à la chaleur intense combinée aux curieux effets dessiccatifs de la lumière octarine ; elle se déshydrate en laissant un résidu argenté, comme du sable fluide, dans lequel une coque bien conçue peut évoluer sans peine. L'océan Déshydraté est une région qui sort de l'ordinaire, quoique moins que les poissons qu'il contient.) Le capitaine n'avait encore jamais vraiment connu la peur. Et voilà qu'il était terrifié.

« Je n'entends rien », marmonna-t-il à son second.

Le second fouilla les ténèbres des yeux.

« Peut-être qu'il est tombé à la mer ? » suggéra-t-il, la voix pleine d'espoir. Comme pour lui répondre, des coups sourds et furieux montèrent du banc de nage sous leurs pieds, doublés d'un fracas de bois brisé. Les hommes d'équipage se serrèrent peureusement en brandissant haches et torches.

Ils n'oseraient sans doute pas s'en servir, même si le Monstre les chargeait. Avant qu'on ait vraiment pris conscience de sa nature effroyable, plusieurs hommes l'avaient attaqué à la hache, à la suite de quoi il s'était détourné de sa fouille obstinée du bateau pour soit leur donner la chasse et les pousser à se jeter par-dessus bord, soit les... *manger*? Le capitaine n'en était pas bien sûr. La Chose avait l'air d'une banale malle-cabine en bois. Un peu plus grosse que la normale, peut-être, mais pas de quoi s'inquiéter. Pourtant, si elle paraissait parfois contenir de vieilles chaussettes et autres effets divers, à d'autres moments – le capitaine frémit – elle donnait l'impression d'être... d'avoir... Il essaya de ne pas y penser. En définitive, les hommes qui s'étaient noyés par-dessus bord avaient sans doute eu plus de chance que ceux que la malle avait attrapés. Il essaya de ne pas y penser. Il avait vu des dents, des *dents* comme des pierres tombales en bois toutes blanches, et une langue rouge comme de l'acajou...

Il essaya de ne pas y penser. En vain.

Mais il se fit amèrement une promesse. C'était bien la dernière fois qu'il secourait des naufragés ingrats dans des circonstances mystérieuses. L'esclavage, ça valait mieux que les requins, non? Puis ils s'étaient échappés, et lorsque ses matelots avaient fouillé leur grosse malle – d'ailleurs, comment étaient-ils apparus au beau milieu d'une mer calme, assis sur un coffre? – elle avait mord... Il essaya encore de ne pas y penser, mais il se surprit à se demander ce qui se passerait quand cette saleté comprendrait que son propriétaire n'était plus à bord...

« Le radeau est prêt, seigneur, annonça le second.

— Mettez-le à l'eau », s'écria le capitaine avant d'ajouter : « Embarquez ! » Puis : « Mettez le feu au bateau ! »

Après tout, il ne serait pas trop difficile de se procurer un autre navire, se disait-il, philosophe, alors qu'on risquait d'attendre longtemps dans ce Paradis autour duquel les mollahs faisaient tant de battage avant d'hériter d'une nouvelle vie. Que le coffre magique s'en aille donc boulotter des homards.

Certains pirates s'assuraient l'immortalité par de grands actes de cruauté ou de bravoure. D'autres en amassant de grandes richesses. Mais le capitaine avait depuis longtemps décidé qu'il préférait, en fin de compte, s'assurer l'immortalité en évitant de mourir.

« C'est quoi, ça, bon sang ? demanda Rincevent.

— C'est magnifique, dit Deuxfleurs avec un air béat.

— Ça, j'en déciderai quand je saurai ce que c'est.

— C'est l'Arc-en-Bord, le renseigna une voix juste derrière son oreille gauche, et vous avez beaucoup de chance de le contempler. Du dessus, en tout cas. »

La voix s'accompagnait d'une haleine froide qui sentait le poisson. Rincevent resta parfaitement immobile.

« Deuxfleurs ? fit-il.

— Oui ?

— Si je me retourne, je vais voir quoi ?

— Il s'appelle Téthis. Il dit qu'il est un troll marin. Ça, c'est son bateau. Il nous a sauvés, expliqua Deuxfleurs. Tu veux te retourner, maintenant ?

— Pas pour l'instant, merci. Alors, pourquoi on ne

passe pas par-dessus Bord ? demanda le mage avec un calme vitreux.

— Parce que votre bateau a heurté le Périfilet, répondit la voix dans son dos (rien qu'à l'entendre, Rincevent imaginait déjà des abîmes sous-marins et des Choses à l'affût dans des récifs de corail).

— Le Périfilet ? répéta-t-il.

— Oui. Il fait tout le tour du monde », expliqua le troll invisible. Par-dessus le grondement de la cataracte, Rincevent crut percevoir des plongeons de rames. Il *espéra* que c'étaient des rames.

« Ah. Vous voulez dire la *périphérie*, dit Rincevent. La périphérie, c'est ce qui fait le tour des choses.

— Le Périfilet aussi, fit le troll.

— Il parle de ça », intervint Deuxfleurs qui pointa le doigt vers le bas. Les yeux de Rincevent suivirent le doigt, redoutant ce qu'ils allaient voir...

Du côté Moyeu du bateau courait une corde parallèle à la mer, à moins de deux mètres au-dessus des eaux blanches. Le bateau y était arrimé, quoique toujours mobile, par un dispositif compliqué de poulies et de roulettes en bois. Celles-ci se déplaçaient le long de la corde tandis que le rameur invisible propulsait l'embarcation sur le bord même de la Grande Cataracte. Voilà qui élucidait un mystère – mais qu'est-ce qui soutenait la corde ?

Rincevent la suivit des yeux sur sa longueur et vit un solide poteau de bois qui sortait de l'eau quelques mètres plus loin. Pendant qu'il le regardait, le bateau s'en approcha puis le dépassa ; les roulettes le contournèrent proprement en cliquetant dans une rainure manifestement creusée à leur intention.

Rincevent remarqua aussi que des filins plus petits

pendaient de la corde principale à peu près tous les mètres.

Il se tourna vers Deuxfleurs.

« Je vois bien ce que c'est, dit-il, mais c'est quoi ? »

Deuxfleurs haussa les épaules. Derrière Rincevent, le troll marin annonça : « Ma maison se trouve plus loin, là-bas. Nous en discuterons quand nous y serons. Pour le moment, il faut que je rame. »

Rincevent s'aperçut que s'il voulait regarder « plus loin, là-bas », il devait se retourner et découvrir à quoi ressemblait vraiment un troll marin, et il n'était pas encore sûr d'en avoir envie. Il préféra s'intéresser à l'Arc-en-Bord.

Suspendu dans les brumes à quelques longueurs au-delà du bord du monde, il n'apparaissait que le matin et le soir quand la lumière du petit soleil en orbite autour du Disque émergeait de derrière la masse de la Grande A'Tuin, la Tortue du Monde, et frappait le champ magique discal exactement sous le bon angle.

Un double arc-en-ciel irisé se formait. Près du bord de la Cataracte, les sept couleurs mineures étincelaient et dansaient dans les embruns des mers expirantes.

Mais elles paraissaient pâles auprès de la bande plus large qui flottait à l'écart, sans daigner partager le même spectre.

C'était la couleur reine, dont toutes les autres ne sont que des reflets partiels et délavés. C'était l'octarine, la couleur de la magie. Vivante, flamboyante, vibrante, c'était le pigment incontesté de l'imagination, car là où elle apparaissait, on savait que la matière ordinaire se mettait humblement au service des puissances de l'esprit magique. Elle incarnait l'enchantement même.

Mais Rincevent avait toujours trouvé qu'elle tirait sur une espèce de mauve verdâtre.

Au bout d'un moment, une petite tache sur le bord du monde devint un îlot ou un rocher si dangereusement perché que les eaux de la Cataracte tourbillonnaient autour au début de leur longue chute. On y avait bâti une cabane en bois flotté, et Rincevent vit que la corde supérieure du Périfilet passait pardessus l'îlot rocheux grâce à des piquets de fer et traversait même la cabane par une petite fenêtre ronde. Il allait apprendre par la suite qu'ainsi le troll était averti de l'arrivée de la moindre épave dans son secteur du Périfilet au moyen d'un jeu de clochettes de bronze délicatement accrochées à la corde.

Une palissade flottante grossière avait été construite avec du bois de récupération du côté Moyeu de l'île. Elle abritait une ou deux épaves et une grande quantité de bois flotté sous forme de planches, de solives, voire de vrais troncs d'arbres entiers dont certains arboraient encore des feuilles vertes. Si près du Bord, le champ magique du Disque était si intense qu'une couronne électrique voilée tremblotait sur toute chose, sous la décharge spontanée de l'illusion brute.

Dans d'ultimes secousses grinçantes, le bateau se rangea en douceur contre une petite jetée de bois flotté.

Alors que l'embarcation s'échouait et se mettait à la masse, Rincevent éprouva toutes les sensations familières d'une immense aura occulte : atmosphère graisseuse, bleuâtre au goût, une odeur de fer-blanc. Tout autour d'eux, la magie pure et libre bruinait silencieusement sur le monde.

Le mage et le touriste se hissèrent tant bien que mal sur la jetée, et pour la première fois Rincevent vit le troll.

Il n'était pas aussi terrible qu'il l'avait imaginé, loin de là.

Quoique… fit son imagination au bout d'un moment.

Le troll n'était pas terrifiant, non. Au lieu de la monstruosité tentaculaire en putréfaction qu'il s'attendait à voir, Rincevent se retrouva devant un vieillard plutôt trapu mais pas franchement laid que personne n'aurait remarqué dans la rue, à condition d'avoir l'habitude de croiser des vieillards composés d'eau sans grand-chose d'autre. C'était comme si l'Océan avait décidé de créer la vie sans suivre les étapes fastidieuses de l'évolution et qu'il avait tout bonnement transformé une partie de lui-même en bipède pour l'envoyer s'ébrouer sur la plage. Le troll était d'un bleu translucide agréable à l'œil. Alors que Rincevent l'observait, un petit banc de poissons d'argent lui traversa la poitrine comme un éclair.

« C'est malpoli de dévisager les gens », dit le troll. Sa bouche s'ouvrit sur une petite crête d'écume et se referma tout comme l'eau sur un caillou.

« Ah bon ? Pourquoi ? » demanda Rincevent. Comment il fait pour tenir debout ? lui criait son cerveau. Pourquoi il ne coule pas par terre ?

« Si vous voulez bien me suivre chez moi, je vais vous trouver à manger et de quoi vous changer », dit le troll d'un ton solennel. Il se mit en route sur les rochers sans se retourner pour voir s'ils le suivaient effectivement. Après tout, où seraient-ils allés ? La nuit tombait et une brise frisquette et humide soufflait par-dessus le bord du monde. L'Arc-en-Bord éphémère s'était déjà évanoui, et les brumes au-dessus de la Cataracte commençaient à se dissiper.

« Allez, viens », dit Rincevent en attrapant Deuxfleurs par le coude. Mais le touriste n'avait pas l'air de vouloir bouger.

« Allez, viens, répéta le mage.

— Quand il fera complètement noir, tu crois qu'on pourra voir en dessous la Grande A'Tuin, la Tortue du Monde ? demanda Deuxfleurs en regardant rouler les nuages.

— J'espère que non, répondit Rincevent. Je t'assure. Bon, on y va, maintenant ? »

Deuxfleurs le suivit à contrecœur dans la cabane. Le troll avait allumé deux lampes et s'était confortablement assis dans un fauteuil à bascule. Il se leva à leur entrée et versa deux coupes d'un liquide vert d'un grand pichet. Dans la lumière tamisée, il paraissait phosphorescent, à la façon des mers chaudes pendant les nuits d'été veloutées. Rien que pour ajouter un éclat baroque à la terreur sourde de Rincevent, il avait aussi l'air plus grand de plusieurs centimètres.

Le mobilier se composait surtout de caisses, semblait-il.

« Hum. C'est vraiment chouette chez vous, dit Rincevent. Ethnique. »

Il tendit la main vers une coupe et regarda le liquide vert miroitant. J'espère que c'est buvable, se dit-il. Parce que je m'en vais le boire. Ce qu'il fit.

C'était le breuvage que Deuxfleurs lui avait déjà fait avaler dans le bateau, mais sur le moment son esprit ne s'y était pas attardé parce qu'il y avait plus urgent. À présent il avait le loisir d'en savourer le goût.

Sa bouche se tordit. Il échapper une faible plainte. Sa jambe se releva convulsivement et lui cogna douloureusement la poitrine.

Deuxfleurs faisait tourner sa coupe d'un air pensif et en étudiait le bouquet.

« Du Ghlen Livide, dit-il. La boisson à base de noix de *vul* fermentée qu'on distille au gel dans mon pays. Un arrière-goût de fumée… Charpenté. Des plantations occidentales de… euh… la province de Rehigreed, c'est ça ? Récolte de l'année prochaine, je dirais, d'après la robe. Puis-je vous demander comment vous vous l'êtes procuré ? »

(Les plantes du Disque, si elles comptent des variétés communément appelées *annuelles*, semées dans l'année pour pousser plus tard la même année, *bisannuelles*, semées dans l'année pour pousser l'année suivante, *vivaces*, semées dans l'année pour pousser jusqu'à nouvel ordre, comprennent aussi quelques rares espèces *rétroannuelles* qu'une curieuse distorsion quadridimensionnelle dans leurs gènes permet de planter dans l'année pour pousser l'*année dernière*. L'arbre à noix de *vul* a ceci d'exceptionnel qu'il peut pousser jusqu'à huit ans avant qu'on le plante. Le vin de noix de *vul* a la réputation de donner à certains buveurs un aperçu de l'avenir, c'est-à-dire, du point de vue de la noix, du passé. Incroyable mais vrai.)

« Avec le temps, tout aboutit dans le Périfilet, répondit le troll, sentencieux, en se balançant doucement dans son fauteuil. Mon travail, c'est de récupérer les épaves flottantes. Du bois, bien sûr, et des bateaux. Des barriques de vin. Des balles de tissu. Vous. »

La lumière se fit dans la tête de Rincevent.

« C'est un filet, c'est ça ? Vous avez un filet tendu juste au bord de la mer !

— Le Périfilet », acquiesça le troll. Des vaguelettes lui ridèrent la poitrine.

Rincevent contempla dehors l'obscurité phosphorescente qui enveloppait l'île et il sourit bêtement.

« Évidemment, dit-il. Incroyable ! Vous avez

enfoncé des pieux, vous l'avez attaché aux récifs et...
bon sang ! Faut un filet drôlement solide.

— Il est solide, confirma Téthis.

— Vous pourriez l'étendre sur deux ou trois kilomètres, si vous trouviez assez de rochers et d'autres trucs, dit le mage.

— Seize mille kilomètres. Moi, je patrouille seulement sur une lieue.

— Mais ça ne fait qu'un tiers du pourtour du Disque ! »

Téthis clapota un peu en hochant une nouvelle fois la tête. Tandis que les deux hommes se resservaient du vin vert, il leur parla du Périfilet, des gros efforts qu'avait coûtés sa construction, de l'antique et sage royaume de Krull qui l'avait conçu des siècles plus tôt, des sept flottes qui le patrouillaient en permanence pour le maintenir en état et ramener les épaves à Krull, de la façon dont Krull était devenu une terre de loisirs gouvernée par les chercheurs les plus érudits, de leur quête inlassable pour comprendre dans tous ses détails la merveilleuse complexité de l'Univers, de la manière dont les marins égarés dans le Périfilet étaient réduits en esclavage et avaient généralement la langue tranchée. Après quelques exclamations des deux naufragés sur ce dernier point, il s'étendit, d'un ton amical, sur la futilité de recourir à la force, sur l'impossibilité de s'échapper de l'île sinon en bateau vers l'une des trois cent quatre-vingts autres qui s'échelonnaient jusqu'à Krull, ou en sautant par-dessus Bord, et sur les grands avantages de la mutité comparée, par exemple, à la mort.

Suivit une pause. Le grondement nocturne assourdi de la Grande Cataracte ne parvenait qu'à rendre le silence plus pesant.

Puis le fauteuil à bascule se remit à couiner. Téthis semblait avoir grandi de manière alarmante durant son monologue.

« N'y voyez rien de personnel, ajouta-t-il. Moi aussi, je suis un esclave. Si vous tentez de me réduire à l'impuissance, je serai obligé de vous tuer, bien entendu, mais je n'y prendrai aucun plaisir particulier. »

Rincevent regarda les poings miroitants qui reposaient légèrement sur les cuisses du troll. Il les soupçonnait de pouvoir frapper avec toute la force d'un tsunami.

« Je crois que vous n'avez pas bien compris, expliqua Deuxfleurs. Je suis citoyen de l'empire de l'Or. Je suis sûr que Krull ne souhaite pas encourir le déplaisir de l'Empereur.

— Comment le saura-t-il, l'Empereur ? demanda le troll. Vous croyez être le premier citoyen de l'Empire qui atterrit dans le Périfilet ?

— Je ne serai pas esclave ! s'écria Rincevent. Plutôt... plutôt sauter par-dessus Bord ! » Le ton de sa propre voix le surprit.

« Non, vraiment ? » fit le troll. Le fauteuil à bascule revint heurter le mur, et un bras bleu attrapa le mage par la taille. La seconde d'après, le troll sortait à grands pas de la cabane, Rincevent négligemment serré dans un poing.

Il ne s'arrêta qu'une fois arrivé à la limite côté Bord de l'île. Rincevent glapit.

« Taisez-vous sinon je vous balance pour de bon par-dessus Bord, ordonna sèchement le troll. Je vous tiens, non ? *Regardez.* »

Rincevent regarda.

Devant lui s'étendait une nuit douce et noire où les étoiles voilées de brume luisaient tranquillement.

Mais ses yeux se tournèrent vers le bas, attirés par une fascination irrésistible.

Il était minuit sur le Disque, le soleil était donc loin, très loin en dessous, il se balançait lentement sous l'immense plastron givré de la Grande A'Tuin. Rincevent tenta une dernière fois de fixer son attention sur le bout de ses chaussures qui dépassaient du bord du rocher, mais l'à-pic l'en arracha.

À gauche et à droite, la mer contournait l'île dans sa route vers la chute gigantesque et formait deux rideaux aquatiques luisants qui se précipitaient vers l'infini. À une centaine de mètres en dessous du mage, le plus gros saumon qu'il avait jamais vu jaillit de l'écume dans un bond furieux, désordonné et finalement sans espoir. Puis il retomba, de plus en plus bas, dans la lumière dorée sous le monde.

Des ombres immenses naissaient de cette lumière comme des piliers supportant le toit de l'Univers. Des centaines de kilomètres en contrebas, le mage distingua une forme, un contour...

Comme ces dessins curieux où le tracé d'un verre ornemental devient soudain les profils de deux visages, la scène qu'il contemplait prit tout à coup une perspective nouvelle et terrifiante. Parce qu'en dessous se découpait la tête d'un éléphant, aussi grande qu'un continent de taille respectable. Une défense prodigieuse se détachait comme une montagne sur le fond de lumière dorée et traînait vers les étoiles une ombre qui allait en s'élargissant. La tête était légèrement penchée, et un œil formidable couleur rubis faisait penser à une super-géante rouge qui aurait réussi à briller en plein midi.

Sous l'éléphant...

Rincevent déglutit et s'efforça de ne pas penser...

Sous l'éléphant il n'y avait que le disque lointain et douloureux du soleil. Et lentement, majestueusement, passa devant lui ce qui, malgré des écailles grandes comme des cités, une surface grêlée de cratères, un aspect rocailleux et lunaire, était indubitablement une nageoire.

« Je lâche ? proposa le troll.

— Gnahn, fit Rincevent en s'arquant en arrière.

— Ça fait cinq ans que je vis ici, *près du Bord*, et je n'en ai pas eu le courage, tonna Téthis. Vous non plus, j'ai l'impression. » Il recula, ce qui permit à Rincevent de se jeter par terre.

Deuxfleurs s'approcha tranquillement du Bord et regarda en contrebas.

« Fantastique, dit-il. Si seulement j'avais ma boîte à images… Qu'est-ce qu'il y a d'autre là-dessous ? Je veux dire, si on sautait, qu'est-ce qu'on verrait ? »

Téthis s'assit sur un affleurement rocheux. Loin au-dessus du Disque, la lune émergea de derrière un nuage, donnant au troll l'aspect de la glace.

« Mon pays se trouve là-dessous, peut-être, dit-il lentement. Plus loin que vos crétins d'éléphants et cette tortue ridicule. Un vrai monde. Je viens de temps en temps ici et je regarde, mais je ne me décide jamais à sauter le pas… Un vrai monde, avec de vrais gens. J'ai des femmes et des petits, quelque part là-dessous… » Il s'interrompit et se moucha. « On apprend vite de quelle étoffe on est fait, ici, *près du Bord*.

— Arrêtez de dire ça, s'il vous plaît », gémit Rincevent. Il se retourna et vit Deuxfleurs debout, insouciant, à l'extrême limite du rocher. « Gnahn, fit-il et il essaya de se fondre dans le roc.

— Il y a un autre monde là-dessous ? demanda

Deuxfleurs en regardant encore en contrebas. Où ça, exactement ? »

Le troll fit un geste vague du bras. « Quelque part, répondit-il. C'est tout ce que je sais. Un monde assez petit. Plutôt bleu.

— Pourquoi vous êtes ici, alors ? lui lança Deux-fleurs.

— C'est évident, non ? répliqua sèchement le troll. Je suis passé par-dessus bord ! »

Il leur parla du monde de Bathys, quelque part au milieu des étoiles, où le peuple de la mer avait engendré un certain nombre de civilisations florissantes dans les trois vastes océans qui baignaient son disque. Il avait été viandeur. La caste des viandeurs gagnait dangereusement sa vie sur de grands vaisseaux terrestres à voiles qui s'aventuraient au large dans les terres pour chasser les bancs de cerfs et de buffles, abondants sur les continents livrés aux tempêtes. Son yacht personnel avait été poussé vers des contrées inexplorées par un vent anormalement violent. L'équipage avait pris place à bord du petit chariot à rames du yacht et avait mis le cap sur un lac lointain, mais Téthis, en tant que patron viandeur, avait choisi de rester sur son bâtiment. La tempête avait carrément entraîné le bateau par-dessus le bord rocailleux du monde, en le réduisant au passage en bois d'allumettes.

« D'abord je suis tombé, dit Téthis, mais tomber, ce n'est pas si terrible, vous savez. C'est l'atterrissage qui fait mal, et il n'y avait rien en dessous de moi. Pendant ma chute, j'ai vu le monde s'éloigner en tournant dans l'espace et se perdre parmi les étoiles.

— Et après, qu'est-ce qui s'est passé ? demanda un

Deuxfleurs haletant qui jeta un regard vers l'univers embrumé.

— J'ai complètement gelé, répondit simplement Téthis. Heureusement ma race survit à ce genre d'ennui. Mais de temps en temps je dégelais quand je passais près d'autres mondes. Il y en avait un, celui que j'ai cru entouré d'un curieux anneau montagneux, il me semble, et c'était en réalité le plus gros dragon qu'on puisse imaginer, couvert de neige et de glaciers, avec la queue dans la gueule… Bref, j'en suis passé à quelques lieues, j'ai traversé son ciel comme une comète, en fait, et je suis reparti aussitôt. Ensuite, un moment je me suis réveillé, et j'ai vu votre monde me foncer dessus comme une tarte à la crème jetée par le Créateur et, ma foi, je suis tombé dans la mer, près du Périfilet, à contraxe de Krull. Toutes sortes de créatures sont rejetées contre le Périfilet, et à l'époque on cherchait des esclaves pour tenir les permanences dans les postes extérieurs, alors je me suis retrouvé ici. » Il s'interrompit et fixa intensément Rincevent. « Toutes les nuits je viens regarder en dessous, termina-t-il, et je ne saute jamais. Le courage, ça ne se trouve pas facilement, *ici, près du Bord.* »

Rincevent se mit à ramper avec résolution vers la cabane. Il poussa un petit cri lorsque le troll le ramassa, non sans ménagement, et le remit sur ses pieds.

« Étonnant, fit Deuxfleurs qui se pencha davantage au-dessus du vide. Il y a des tas d'autres mondes par là-bas ?

— Un grand nombre, j'imagine, répondit le troll.

— On devrait pouvoir mettre au point une espèce de… je ne sais pas, moi, une espèce de *machin* qui protégerait du froid, reprit le petit homme, songeur. Une espèce de bateau qu'on piloterait par-dessus le

Bord et qu'on dirigerait aussi vers des mondes lointains. Je me demande…

— Oublie ça tout de suite ! gémit Rincevent. Arrête de parler de choses pareilles, tu m'entends ?

— Ils en parlent tous, à Krull, dit Téthis.

» Ceux qui ont une langue, évidemment », ajouta-t-il.

« Tu es réveillé ? »

Deuxfleurs continua de ronfler. Rincevent lui flanqua un méchant coup de poing dans les côtes.

« J'ai dit : tu es réveillé ? gronda-t-il.

— Scrdfngh…

— Faut qu'on parte d'ici avant l'arrivée de cette flotte de ramassage ! »

La lumière eau-de-vaisselle de l'aube filtrait par l'unique fenêtre de la cabane, éclaboussait les tas de caisses et de paquets récupérés répandus à l'intérieur. Deuxfleurs grogna encore et voulut s'enfouir dans la pile de fourrures et de couvertures que Téthis leur avait données.

« Écoute, il y a toutes sortes d'armes et de machins ici, reprit Rincevent. Il est parti je ne sais où. Quand il va revenir, on va lui sauter dessus et… et… ben, on trouvera quelque chose. Qu'est-ce que tu en dis ?

— Ça ne me paraît pas une bonne idée, répondit Deuxfleurs. N'importe comment, c'est plutôt incorrect, non ?

— Pas de bol, répliqua sèchement Rincevent. On vit dans un univers impitoyable. »

Il fourragea dans les tas le long des murs et choisit un lourd cimeterre à lame ondulée qui avait sans doute fait la joie et la fierté d'un pirate. Une arme qui donnait l'impression de valoir autant par son poids que par son tranchant pour infliger des dégâts. Il le brandit maladroitement.

« Est-ce qu'il laisserait traîner une chose pareille si ça pouvait lui faire du mal ? » se demanda tout haut Deuxfleurs.

Rincevent l'ignora et prit position à côté de la porte. Lorsqu'elle s'ouvrit, une dizaine de minutes plus tard, il n'hésita pas et porta un coup de taille au niveau présumé de la tête du troll. La lame siffla dans le vide sans causer le moindre mal et se planta dans le chambranle ; le mage en perdit l'équilibre et s'étala par terre.

Il entendit un soupir au-dessus de lui. Il leva les yeux vers Téthis qui secouait tristement la tête.

« Ça ne m'aurait rien fait, dit le troll, mais je suis quand même blessé. Profondément blessé. » Il tendit le bras par-dessus le mage et arracha d'une secousse le cimeterre du chambranle de bois. Sans effort apparent, il tordit la lame en rond et l'envoya tournoyer par-delà les rochers ; elle heurta un caillou et rebondit, sans cesser de tourbillonner, en un arc de cercle argenté qui se termina dans les brumes en formation sur la Grande Cataracte.

« *Très* profondément blessé », conclut-il. Il baissa la main vers la porte et lança un sac vers Deuxfleurs.

« C'est la carcasse d'un cerf comme vous les aimez, vous autres les humains, plus quelques homards et un saumon. De la part du Périfilet », dit-il négligemment.

Il fixa le touriste, puis rabaissa les yeux sur Rincevent.

« Qu'est-ce que vous regardez comme ça ? demanda-t-il.

— C'est que... fit Deuxfleurs.

— ... par rapport à hier soir... continua Rincevent.

— ... vous êtes si *petit*, termina Deuxfleurs.

— Je vois, articula soigneusement le troll. Des réflexions désobligeantes, maintenant. » Il se redressa de toute sa taille, pour l'heure d'un mètre vingt. « Je suis peut-être fait d'eau, mais pas de bois pour autant, vous savez.

— Excusez-moi, dit Deuxfleurs en se dépêchant de s'extraire de ses fourrures.

— Vous, vous êtes faits de boue, reprit le troll, mais vous n'y pouvez rien, alors est-ce que je me suis permis des commentaires, moi ? Oh, non. Nous sommes tels que nous a faits le Créateur, voilà ce que je dis. Mais si vous tenez vraiment à le savoir, votre lune est nettement plus puissante que celles qui tournent autour de mon monde.

— La lune ? fit Deuxfleurs. Je ne compr...

— Puisqu'il faut vous mettre les points sur les i, le coupa le troll avec irritation, je souffre de flux de poitrine chroniques. »

Une cloche retentit dans les ténèbres de la cabane. Téthis se déplaça sur le plancher grinçant jusqu'au système compliqué de leviers, de cordes et de clochettes installé sur le câble supérieur du Périfilet, là où il traversait la cabane.

La cloche retentit encore, puis se mit à sonner selon un étrange rythme saccadé plusieurs minutes durant. Le troll gardait l'oreille collée tout contre.

Lorsqu'elle se tut, il se retourna lentement et regarda les deux naufragés, le front barré d'un pli soucieux.

« Vous êtes plus importants que je ne pensais, dit-il. Vous n'allez pas attendre la flotte de ramassage. Un voltigeur va passer vous prendre. C'est ce qu'ils disent à Krull. » Il haussa les épaules. « Et je n'ai même pas encore envoyé de message pour signaler que vous étiez là. Quelqu'un a encore bu du vin de noix de *vul*. »

Il décrocha un gros maillet suspendu à un poteau près de la cloche et s'en servit pour transmettre un bref carillon.

« Ça va remonter de segmentier en segmentier jusqu'à Krull, dit-il. Formidable, non ? »

Elle arriva par la mer à toute vitesse ; elle flottait à hauteur d'homme au-dessus de l'eau mais laissait quand même un sillage d'écume là où la puissance inconnue qui la maintenait en l'air entrait en contact avec les vagues. Rincevent, lui, la connaissait, cette puissance. S'il était, de son propre aveu, lâche, incompétent et même pas intéressant en tant que raté, il restait cependant plus ou moins mage, il avait en tête l'un des Huit Grands Sortilèges, la Mort en personne viendrait le réclamer à l'heure du trépas, et il savait identifier de la magie de pointe quand il en voyait.

La lentille qui filait au ras de l'eau vers l'île faisait peut-être six mètres de diamètre et était entièrement transparente. Sur son pourtour se tenaient assis un grand nombre d'hommes en robe noire, chacun solidement attaché au disque par un harnais de cuir, chacun les yeux braqués sur les vagues, l'air d'endurer une telle torture, un tel martyre, qu'on aurait dit l'engin transparent couronné de gargouilles.

Rincevent poussa un soupir de soulagement. Une réaction tellement inhabituelle que Deuxfleurs détourna le regard du disque en approche pour le poser sur lui.

« On est importants, pas d'erreur, expliqua Rincevent. Ils ne gaspilleraient pas toute cette magie pour deux futurs esclaves. » Il sourit.

« C'est quoi ? voulut savoir Deuxfleurs.

— Ben, l'engin lui-même a dû être créé par le Merveilleux Concentrateur de Fresnel, répondit Rincevent avec autorité. Ça demande beaucoup d'ingrédients rares et instables, comme du souffle de démon et j'en passe, et il faut au moins une semaine à huit mages de quatrième niveau pour le visualiser. Ensuite il y a les mages qui sont dessus, qui doivent tous être des hydrophobes chevronnés...

— Tu veux dire qu'ils détestent l'eau ?

— Non, ça ne marcherait pas. La haine, c'est une force d'attraction, tout comme l'amour. Ils l'ont vraiment en horreur, l'idée même de l'eau les révolte. Un très bon hydrophobe doit subir un entraînement à l'eau déshydratée dès sa naissance. Je veux dire, ça coûte une fortune rien qu'en magie. Mais ils font de grands mages climatiques. Les nuages de pluie n'insistent pas et vont voir ailleurs.

— Ç'a l'air horrible, dit le troll marin derrière eux.

— Et ils meurent tous jeunes, continua Rincevent en l'ignorant. Ils ne peuvent pas se supporter.

— Parfois je me dis qu'on aurait beau parcourir le Disque toute sa vie, on ne verrait pas tout ce qu'il y a à voir, fit Deuxfleurs. Et voilà qu'il existe apparemment encore des tas d'autres mondes. Quand je pense que je pourrais mourir sans voir le centième de tout ça, ça me rend... » Il marqua un temps, puis ajouta : « ... ben, humble, j'imagine. Et ça me met très en colère, évidemment. »

Le voltigeur s'arrêta à quelques brasses de l'île, côté Moyeu, en soulevant un rideau d'embruns. Suspendu en l'air, il tournait lentement sur lui-même. Une silhouette encapuchonnée, debout près du pilier trapu au centre exact de la lentille, leur fit signe d'approcher.

« Vaudrait mieux y aller, quitte à vous mouiller les pieds, dit le troll. Ça ne vaut rien de les faire attendre. Ravi de vous avoir connus. » Il leur donna à tous deux une poignée de main humide. Comme il les accompagnait un bout de chemin dans l'eau, les deux abhorreurs les plus proches eurent un mouvement de recul, une expression d'extrême dégoût sur la figure.

La silhouette encapuchonnée baissa une main et libéra une échelle de corde. Dans l'autre elle tenait une baguette argentée qui avait l'allure indiscutable d'un objet conçu pour tuer. La première impression de Rincevent se trouva renforcée lorsque la silhouette brandit la baguette et l'agita négligemment en direction du rivage. Une portion de rocher disparut pour ne laisser qu'une fine vapeur grise de néant.

« Pour vous prouver que je n'ai pas peur de m'en servir, dit la silhouette.

— Que *vous* n'avez pas peur ? » fit Rincevent. Le capuchon lâcha un grognement.

« Nous savons tout de toi, Rincevent le magicien. Tu es un homme de grande ruse et de grands artifices. Tu ris au nez de la Mort. Tes prétendus airs de lâcheté ne m'abusent pas. »

Ils abusaient Rincevent. « Je… commença-t-il avant de pâlir lorsque la baguette à néant se tourna vers lui. Je vois que vous savez tout de moi », termina-t-il d'une voix faible, et il s'assit lourdement sur la surface glissante. Sur les instructions du commandant au capuchon, Deuxfleurs et lui s'attachèrent par des sangles à des anneaux fixés dans le disque transparent.

« Si tu fais seulement mine de jeter un sort, menacèrent les ténèbres sous le capuchon, tu mourras. Troisième quadrant, *réconciliation*, neuvième quadrant, *redoublement, en avant toute !* »

Une muraille d'eau s'éleva d'un coup derrière Rincevent et le disque trembla d'une secousse soudaine. L'horrible présence du troll marin avait sans doute merveilleusement amplifié la concentration des hydrophobes, car l'engin décolla alors selon un angle abrupt et ne reprit un vol horizontal qu'une fois une douzaine de brasses au-dessus des vagues. Rincevent jeta un coup d'œil en bas à travers la surface transparente et le regretta aussitôt.

« Et voilà, c'est reparti », dit joyeusement Deuxfleurs. Il se retourna et agita la main à l'adresse du troll, désormais un tout petit point au bord du monde.

Rincevent lui lança un regard noir. « Rien ne t'inquiète donc jamais, toi ? demanda-t-il.

— On est toujours en vie, non ? répliqua Deuxfleurs. Et tu as toi-même dit qu'ils ne se donneraient pas tout ce mal pour deux esclaves. À mon avis, Téthis exagérait. À mon avis, il y a méprise. À mon avis, ils vont nous renvoyer chez nous. Une fois qu'on aura visité Krull, évidemment. Et je dois avouer que tout ça m'a l'air passionnant.

— Oh, oui, fit Rincevent d'une voix caverneuse. Passionnant. » Il se disait : J'ai connu la passion, et j'ai connu l'ennui. J'ai préféré l'ennui.

Si l'un ou l'autre avait baissé la tête à cet instant, il aurait remarqué une curieuse vague en forme de V qui filait dans l'eau loin en dessous, la pointe dirigée tout droit sur l'île de Téthis. Mais aucun des deux ne regardait. Les vingt-quatre magiciens hydrophobes, si, mais il ne s'agissait pour eux que d'une abomination de plus, guère différente de l'horreur liquide qui entourait le phénomène. Ils avaient sûrement raison.

Quelque temps avant ces événements, le bateau pirate en flammes s'était enfoncé en chuintant sous les vagues pour entamer sa longue et lente glissade vers la vase loin au fond. Plus loin qu'à l'ordinaire car directement en dessous de la quille endommagée s'ouvrait la fosse de Gorunna – une faille dans la surface du Disque, si noire, si profonde et si notoirement maléfique que même les krakens ne s'y risquaient qu'avec crainte, et par deux. Dans des failles moins notoirement maléfiques, les poissons se déplaçaient nantis de lampes naturelles sur la tête et dans l'ensemble s'en sortaient plutôt bien. Dans Gorunna, ils évitaient de les allumer et, pour autant qu'en soient capables des êtres dépourvus de pattes, ils se déplaçaient sur la pointe des pieds ; ils avaient aussi tendance à se cogner dans des choses. Des choses horribles.

Autour du bateau, l'eau vira du vert au mauve, du mauve au noir, du noir à une obscurité si complète que le noir en paraissait gris à côté. La plupart des membrures avaient déjà été réduites à l'état d'échardes par l'extrême pression.

Il descendit en spirale devant des bosquets de polypes cauchemardesques et des forêts d'algues à la dérive qui luisaient de couleurs blêmes et maladives. Des *choses* le frôlèrent brièvement de leurs tentacules mous et froids dans leur course vers le silence glacé.

Autre chose monta des ténèbres et l'engloutit d'une seule bouchée.

Plus tard, les insulaires d'un petit atoll vers le Bord furent stupéfaits de trouver, rejeté dans leur lagon, le cadavre ballotté par les vagues d'un monstre marin hideux, tout en becs, yeux et tentacules. Sa taille les stupéfia davantage encore, vu qu'il était plus grand que leur village. Mais leur surprise n'était rien auprès de l'immense expression affligée du monstre crevé, qu'on aurait dit piétiné à mort.

Un peu plus loin vers le Bord, deux petits bateaux qui pêchaient au chalut les féroces huîtres sauvages abondantes dans ces eaux, prirent quelque chose qui traîna les deux bâtiments sur plusieurs kilomètres avant qu'un des capitaines ait la présence d'esprit de couper les filins.

Mais là encore son étonnement ne fut rien auprès de celui des insulaires sur le dernier atoll de l'archipel. La nuit suivante, ils furent réveillés par un fracas effroyable de bois brisé venu de leur jungle miniature ; lorsqu'au matin quelques âmes mieux trempées allèrent enquêter sur place, elles découvrirent des arbres anéantis sur une large bande de terre qui démarrait sur la rive côté Moyeu de l'atoll et traçait en direction du Bord une piste de destruction totale jonchée de lianes déchiquetées, de buissons écrasés et de quelques huîtres ahuries et furieuses.

Ils se déplaçaient maintenant à une altitude suffisante pour voir s'éloigner la vaste courbure du Bord, enveloppée dans les nuages floconneux qui, par bonheur, masquaient la plupart du temps la Grande Cataracte. De là-haut, la mer, d'un bleu profond que tachetait l'ombre des nuages, avait presque l'air engageante. Rincevent frissonna.

« Excusez-moi », dit-il. La silhouette encapuchonnée s'arracha à la contemplation des brumes lointaines et brandit sa baguette d'un geste menaçant.

« Je ne tiens pas à m'en servir, fit-elle.

— Ah, non ? répliqua Rincevent.

— C'est quoi, d'ailleurs ? demanda Deuxfleurs.

— La Baguette de Négativité Absolue d'Ajandurah, répondit Rincevent. Et j'aimerais bien que vous arrêtiez de l'agiter à tout bout de champ. Ça pourrait partir tout seul, ajouta-t-il en désignant du menton la pointe brillante. Je veux dire, c'est très flatteur, toute cette magie que vous étalez pour nous, mais ce n'est pas la peine de vous donner tant de mal. Et...

— *La ferme.* » La silhouette leva la main et repoussa son capuchon, révélant une jeune femme au teint très inhabituel. Elle avait la peau noire. Rien à voir avec le brun sombre d'Urabewe, ni avec le bleu-noir poli de Klatch où sévissent les moussons ; elle était du noir extrême de la minuit au fond d'une caverne. Ses cheveux et ses sourcils avaient la couleur du clair de lune. Ses lèvres luisaient du même éclat pâle. Elle devait avoir une quinzaine d'années, et très peur.

Rincevent ne put s'empêcher de remarquer que la main qui tenait la baguette tremblait ; difficile en effet de ne pas voir un distributeur de mort subite qu'on vous agite d'un bras hésitant à moins d'un mètre cinquante du nez. L'idée lui vint – très lentement parce qu'il s'agissait d'une sensation toute nouvelle – qu'au moins une personne dans le monde avait peur de lui. L'inverse était si fréquent qu'il avait fini par croire à une loi naturelle.

« C'est quoi, votre nom ? » demanda-t-il d'une voix aussi rassurante que possible. Elle avait peut-être peur, mais c'était elle qui tenait la baguette. Si j'avais une baguette pareille, songea-t-il, moi, je n'aurais peur de rien. Alors, grands dieux, de quoi elle me croit capable ?

« Mon nom est sans importance, répondit-elle.

— Un joli nom. Vous nous emmenez où, et pourquoi ? Je ne vois pas ce qu'il y a de mal à nous le dire.

— On vous emmène à Krull, dit la jeune fille. Et ne te moque pas de moi, l'Axlandais. Sinon je me sers de la baguette. Je dois te ramener vivant, mais personne ne m'a spécifié de te ramener en un seul morceau. Je m'appelle Marchesa, et je suis mage de cinquième niveau. Tu comprends ?

— Ben, si vous savez tout de moi, vous savez aussi que je ne suis même pas arrivé au stade de néophyte, répondit Rincevent. Je ne suis même pas mage, en réalité. » Il surprit l'expression étonnée de Deuxfleurs et se hâta d'ajouter : « Enfin, mage quand même, si on veut.

— Tu ne peux pas faire de magie parce qu'un des Huit Grands Sortilèges s'est logé de façon indélébile dans ton cerveau, dit Marchesa en rectifiant gracieusement son équilibre tandis que la grande lentille décrivait une large courbe au-dessus de la mer. C'est pour ça qu'on t'a mis à la porte de l'Université de l'Invisible. Nous sommes au courant.

— Mais tout à l'heure vous avez dit que c'était un magicien de grande ruse et de grands artifices, protesta Deuxfleurs.

— Oui, parce que pour survivre à autant d'épreuves – la plupart du temps à cause de sa tendance à se prendre pour un mage –, eh bien, il faut être une espèce de magicien. Je te préviens, Rincevent. Fais seulement mine de vouloir prononcer le Grand Sortilège, et je te tue sans hésiter. » Nerveuse, elle lui jeta un regard mauvais.

« D'après moi, le mieux, vous savez, ce serait de nous déposer quelque part, dit Rincevent. Enfin, merci de nous avoir sauvés et tout, alors si vous pouviez nous laisser reprendre notre vie, je suis sûr qu'on serait tous…

— J'espère que vous ne comptez pas nous réduire en esclavage », lança Deuxfleurs.

Marchesa eut l'air sincèrement scandalisée. « Certainement pas ! Qu'est-ce qui a bien pu vous donner une idée pareille ? Vous mènerez à Krull une existence fastueuse, riche et confortable...

— Oh, parfait, dit Rincevent.

— ... mais pas très longue. »

Krull se révéla une grande île, plutôt montagneuse et fortement boisée, parsemée de jolis bâtiments blancs visibles çà et là parmi les arbres. Le terrain montait graduellement vers le Bord, si bien que le point culminant de Krull le surplombait légèrement. Les Krulliens y avaient bâti leur ville principale, elle aussi baptisée Krull, et comme la majeure partie de leurs matériaux provenaient du Périfilet, les maisons avaient des allures résolument nautiques.

Pour parler franc, on avait habilement assemblé et converti des bateaux entiers en habitations. Trirèmes, dhaws et caravelles émergeaient sous des angles bizarres de tout ce chaos de bois. Des figures de proue enluminées et des têtes de dragons axlandaises rappelaient aux citoyens de Krull que leur bonne fortune venait de la mer ; des goélettes et des caraques donnaient une forme particulière aux plus grandes constructions. Ainsi la ville s'étageait-elle entre l'océan bleu-vert du Disque et la mer cotonneuse des nuages du Bord, tandis que les huit couleurs de l'Arc-en-Bord se reflétaient sur chaque fenêtre et sur les nombreuses lunettes télescopiques de la foule des astronomes locaux.

« C'est tout bonnement affreux », laissa tomber Rincevent, lugubre.

La lentille approchait à présent en suivant la lisière même de la Grande Cataracte. L'île non seulement s'élevait à proximité du Bord, elle s'étrécissait aussi, si bien que l'engin put continuer de survoler la mer jusqu'au voisinage immédiat de la cité. Le parapet qui bordait la falaise côté Bord était parsemé de portiques en saillie au-dessus du néant. La lentille plana en douceur vers l'un d'eux et accosta aussi facilement qu'un navire se mettant à quai. Quatre gardes attendaient ; ils arboraient les mêmes cheveux de lune et les mêmes visages de nuit que Marchesa. Ils n'avaient pas l'air armés, mais lorsque Deuxfleurs et Rincevent débarquèrent en trébuchant, tous deux furent empoignés par les bras et maintenus avec assez de fermeté pour leur ôter aussitôt toute envie de s'échapper.

Marchesa resta en arrière avec les mages hydrophobes qui regardèrent les gardes conduire d'un pas vif les prisonniers le long d'une ruelle serpentant entre les maisons-bateaux. Bientôt la ruelle se mit à descendre pour pénétrer dans ce qui s'avéra une espèce de palais taillé à même le roc de la falaise. Rincevent eut vaguement conscience de tunnels brillamment éclairés et de cours à ciel ouvert. Quelques vieillards aux robes couvertes de mystérieux symboles occultes s'écartèrent et suivirent des yeux les six hommes. À plusieurs reprises, Rincevent remarqua des hydrophobes – leur incorrigible expression de dégoût devant leurs propres fluides corporels ne laissait aucun doute – et çà et là marchaient péniblement des hommes qui ne pouvaient être que des esclaves. Il n'eut guère le loisir de s'y attarder : une porte s'ouvrit devant eux et on les poussa, doucement mais fermement, dans une salle. Puis la porte claqua dans leur dos.

Rincevent et Deuxfleurs reprirent leur équilibre et

firent des yeux le tour des lieux où ils se trouvaient désormais.

« Mince, fit piètrement Deuxfleurs au bout d'un moment pendant lequel il avait vainement cherché un meilleur mot.

— C'est une cellule de prison ? se demanda tout haut Rincevent.

— Tout cet or, ces soieries et ces machins, ajouta Deuxfleurs. Je n'ai jamais rien vu de pareil ! »

Au centre de la salle richement décorée, sur un tapis si épais et moelleux que Rincevent le foula d'un pied prudent, de crainte qu'il ne s'agisse d'une espèce d'animal velu amateur de plancher, se dressait une longue table luisante chargée de mets. La plupart étaient à base de poisson ; s'y ajoutait le homard le plus gros et le plus ornementé qu'ait jamais vu le mage, en plus d'une quantité de jattes et de plats débordant d'étranges préparations parfaitement inconnues. Il avança la main avec précaution et saisit une sorte de fruit mauve recouvert d'une croûte de cristaux verts.

« Oursin candi, le renseigna une voix cassée et chaleureuse dans son dos. Un mets très délicat. »

Rincevent le lâcha aussitôt et se retourna. Un vieillard était sorti de derrière les lourds rideaux. Grand, maigre, il avait l'air presque affable auprès de certaines binettes que le mage avait croisées ces derniers temps.

« La purée de concombre de mer, c'est très bon aussi, dit l'homme sur le ton de la conversation. Ces petits bouts verts, là, ce sont des bébés étoiles de mer.

— Merci du renseignement, fit Rincevent d'une voix faible.

— En fait, c'est plutôt bon, intervint Deuxfleurs, la

bouche pleine. Je croyais que tu aimais ça, les fruits de mer ?

— Oui, moi aussi je le croyais, répondit Rincevent. C'est quoi, ce vin ? Des yeux de pieuvre pressés ?

— Du raisin de mer, dit le vieillard.

— Parfait, lâcha Rincevent qui en avala tout un verre. Pas mauvais. Un peu salé, peut-être.

— Le raisin de mer, c'est un genre de petite méduse, expliqua l'étranger. Mais il serait temps que je me présente, je crois. Pourquoi le visage de votre ami a-t-il pris cette couleur bizarre ?

— Le choc culturel, j'imagine, répondit Deuxfleurs. Comment avez-vous dit que vous vous appeliez ?

— Je n'ai rien dit. Je m'appelle Garhartra. Je suis le maître hôtelier, voyez-vous. J'ai l'agréable tâche de veiller à ce que votre séjour chez nous soit aussi plaisant que possible. » Il s'inclina. « Si vous désirez quoi que ce soit, il vous suffit de demander. »

Deuxfleurs s'assit sur une chaise en nacre ouvragée, un verre de vin huileux dans une main et un calmar candi dans l'autre. Il fronça les sourcils.

« Je crois qu'un détail a dû m'échapper en cours de route, fit-il. D'abord, on nous a dit qu'on allait nous réduire en esclavage...

— Un ignoble cancan ! le coupa Garhartra.

— C'est quoi, un cancan ? demanda Deuxfleurs.

— Une espèce de danse, je crois, dit Rincevent depuis l'autre bout de la longue table. Et ces biscuits, ils sont faits avec quelque chose de vraiment dégoûtant, d'après toi ?

— ... ensuite on nous a secourus à grand renfort de magie...

— C'est de l'algue pressée, répondit sèchement l'hôtelier.

— … mais après, on nous menace, toujours à grand renfort de magie…

— Oui, il me semblait bien que ça ressemblait à de l'algue, convint Rincevent. Ç'a bien le goût qu'aurait de l'algue si on était assez masochiste pour en manger.

— … et puis des gardes nous emmènent sans ménagement et nous jettent ici…

— Vous poussent gentiment, rectifia Garhartra.

— … dans ce salon incroyablement somptueux, où nous tombons sur toutes ces victuailles et sur un homme qui prétend consacrer sa vie à nous rendre heureux, conclut Deuxfleurs. Tout ça manque un peu de cohérence, c'est là que je veux en venir.

— Ouais, fit Rincevent. Est-ce que vous allez recommencer à vous montrer désagréables ? Est-ce que c'est juste un répit pour la pause-repas ? Voilà ce qu'il veut dire. »

Garhartra leva les mains dans un geste rassurant.

« Je vous en prie, je vous en prie, protesta-t-il. Il était indispensable de vous faire venir au plus vite. Nous n'avons aucunement l'intention de vous réduire en esclavage. De grâce, soyez rassurés sur ce point.

— Alors, c'est parfait, dit Rincevent.

— Oui, en fait, vous serez sacrifiés, poursuivit placidement Garhartra.

— *Sacrifiés ?* Vous allez nous tuer ? s'écria le mage.

— Vous tuer ? Oui, bien entendu. Certainement ! Ce ne serait pas vraiment un sacrifice, sinon, hein ? Mais ne vous faites pas de souci, ce sera relativement indolore.

— Relativement ? Relativement à quoi ? » Rincevent saisit une grande bouteille verte, pleine de vin de méduse-raisin de mer, et il la jeta de toutes ses forces sur l'hôtelier qui leva brusquement la main comme pour se protéger.

Un crépitement de flamme octarine jaillit de ses doigts, et l'air prit soudain la texture épaisse et graisseuse révélatrice d'une puissante décharge magique. La bouteille ralentit son vol, s'arrêta dans le vide et pivota lentement.

Au même moment, une force invisible souleva Rincevent, le précipita à l'autre bout de la pièce et le cloua peu élégamment, le souffle coupé, à mi-hauteur du mur. Il resta collé ainsi, bouche bée de rage et de stupeur.

Garhartra baissa la main et l'essuya lentement sur sa robe.

« Ça ne m'amuse pas de faire ça, vous savez, dit-il.

— J'ai bien vu, marmonna Rincevent.

— Mais en l'honneur de quoi voulez-vous nous sacrifier ? demanda Deuxfleurs. Vous nous connaissez à peine !

— Justement, non ? Ce n'est pas très correct de sacrifier un ami. D'ailleurs, vous avez été… euh… désignés. Je ne connais pas bien le dieu en question, mais il a été très clair sur ce point. Écoutez, il faut que je me sauve maintenant. Tant de choses à organiser, vous savez ce que c'est. » L'hôtelier ouvrit la porte, sortit puis repassa la tête par l'encadrement. « Je vous en prie, mettez-vous à l'aise et ne vous inquiétez de rien.

— Mais vous ne nous avez quasiment rien expliqué ! gémit Deuxfleurs.

— Ça n'en vaut pas vraiment la peine, vous ne croyez pas ? Vu qu'on vous sacrifie demain matin, inutile de vous embêter avec des détails. Passez une bonne nuit. Enfin, relativement bonne. »

Il referma la porte. Une brève lueur octarine fulgura tout autour, laissant supposer qu'on venait de la sceller au-delà des compétences de n'importe quel serrurier digne de ce nom.

Gling, clang, bang, tintinnabulèrent les clochettes du Périfilet par-dessus le grondement de la Grande Cataracte dans la nuit baignée du clair de lune.

Terton, segmentier du quarante-cinquième segment, n'avait pas entendu pareil vacarme depuis la nuit où un kraken géant avait échoué dans le filet, cinq ans plus tôt. Il se pencha hors de sa hutte bâtie sur des pilotis de bois plantés dans le fond de la mer, faute d'îlot approprié dans le secteur, et fouilla les ténèbres des yeux. Une ou deux fois, il crut voir bouger au loin. En principe, il aurait dû aller à la rame s'informer sur la cause d'un tel boucan. Mais ici, dans l'obscurité moite, l'idée ne lui semblait pas franchement géniale, aussi claqua-t-il la porte, enveloppa-t-il de toile de sac les clochettes qui sonnaient à tout va et s'efforça-t-il de se rendormir.

Sans succès, parce que même le filin supérieur du filet vibrait maintenant, comme si quelque chose de gros et de lourd rebondissait dessus. Après avoir contemplé le plafond quelques minutes et déployé des efforts insensés pour ne pas imaginer de longs tentacules épais et des yeux comme des étangs, Terton souffla sa lanterne et entrebâilla la porte.

Quelque chose s'approchait bel et bien le long du filet, par bonds géants de plusieurs mètres chacun. La chose lui apparut et, l'espace d'un instant, Terton vit une forme rectangulaire montée sur une multitude de pattes, hérissée d'algues et – bien que dépourvue de visage sur lequel Terton aurait pu lire pareil sentiment – terriblement en colère.

La hutte fut mise en pièces lorsque le monstre la traversa au pas de charge, mais Terton survécut en se cramponnant au Périfilet ; quelques semaines plus tard, il allait se faire ramasser par une flotte de récupération de retour de mission, puis s'échapper de Krull à bord d'une lentille volée (il était devenu hydrophobe à un degré étonnant) et après maintes aventures finir par gagner le Grand Nef, une région du Disque si aride qu'elle enregistrait des hauteurs de précipitations négatives, mais qu'il trouverait pourtant encore trop humide à son goût.

« Tu as essayé la porte ?

— Oui, répondit Deuxfleurs. Et elle est toujours aussi verrouillée que la dernière fois que tu l'as demandé. Il reste la fenêtre, remarque.

— L'évasion assurée, marmonna Rincevent depuis sa position à mi-hauteur du mur. Tu as dit qu'elle donne au-dessus du Rebord. Un seul pas, hein, et on plonge dans l'espace ; on risque alors de finir congelés, à moins qu'on percute un autre monde à une vitesse incroyable, ou qu'on s'abîme dans le cœur en fusion d'un soleil.

— Faut voir. Tu veux un biscuit d'algues ?

— Non !

— Quand est-ce que tu redescends ? »

Rincevent lâcha un grognement. D'embarras, entre autres raisons. Garhartra lui avait jeté le sortilège Renversement Gravitationnel Individuel d'Avatarr, peu utilisé et difficile à maîtriser, lequel avait pour effet, avant sa complète dissipation, de convaincre le corps de Rincevent que le « bas » se trouvait à quatre-vingt-dix degrés de la direction communément reconnue comme telle par la majorité des habitants du Disque. Autrement dit, il se tenait debout sur le mur, à sa perpendiculaire.

Pendant ce temps la bouteille flottait toute seule en l'air à quelques pas de là. Dans son cas, le temps avait… disons, pas vraiment été arrêté, mais ralenti de plusieurs ordres de magnitude, et sa trajectoire avait pour l'instant couvert cinq centimètres en plusieurs heures, selon les estimations de Deuxfleurs et Rincevent. Son verre luisait au clair de lune. Rincevent soupira et tâcha de se trouver une position confortable sur le mur.

« Mais tu ne t'inquiètes donc jamais, toi ? demanda-t-il avec humeur. On est là, on va se faire sacrifier à je ne sais quel dieu demain matin, et toi, tu manges des amuse-gueule aux berniques.

— On va sûrement trouver quelque chose, fit Deuxfleurs.

— Enfin, ce n'est pas comme si on savait pourquoi on va se faire tuer », continua le mage.

Ça te plairait de savoir, hein ?

« C'est toi qui as dit ça ? demanda Rincevent.

— Dit quoi ? »

Tu entends des voix, répondit-on dans la tête du mage.

Il s'assit tout droit à l'horizontale. « Vous êtes qui ? » demanda-t-il.

Deuxfleurs lui lança un regard inquiet.

« Je suis Deuxfleurs, fit le touriste. Tu t'en souviens sûrement ? »

Rincevent se prit la tête à deux mains.

« Ç'a fini par arriver, gémit-il. J'ai le cerveau qui se vide. »

Tant mieux, fit la voix. *Ça commence à être sur-peuplé là-dedans.*

Le sortilège qui clouait Rincevent au mur se dissipa avec un petit *plop*. Le mage tomba en avant et atterrit en tas.

Attention... tu as failli m'écraser.

Rincevent se releva péniblement sur les coudes et plongea la main dans la poche de sa robe. Lorsqu'il la retira, la grenouille verte était assise dans sa paume, les yeux étrangement lumineux dans la pénombre.

« Toi ? » fit Rincevent.

Pose-moi par terre et recule. La grenouille cligna des yeux.

Le mage s'exécuta et entraîna un Deuxfleurs ahuri à l'écart.

Le salon s'assombrit. Un rugissement de vent se fit entendre.

Des serpentins de brume verte, mauve et octarine surgirent de nulle part et se mirent à vriller rapidement vers l'amphibien accroupi en libérant de petits éclairs dans leur rotation. La grenouille se perdit bientôt dans une brume dorée qui s'étira en hauteur et baigna la salle d'une lumière jaune et chaude. Au milieu tremblotait une forme plus sombre, indistincte, qui changeait sous leurs yeux. En même temps que retentissait la plainte stridente, à vous pétrifier le cerveau, d'un gigantesque champ magique...

Aussi brusquement qu'elle était apparue, la tornade magique s'évanouit. Et là, à la place où s'était tenue la grenouille, il y avait une grenouille.

« Fantastique », fit Rincevent.

La grenouille lui lança un regard réprobateur.

« Vraiment incroyable, poursuivit le mage avec aigreur. Une grenouille transformée par magie en grenouille. Fabuleux.

— Retournez-vous », fit une voix dans le dos du mage et du touriste. Une voix douce, féminine, presque une invite, avec laquelle on aurait bien pris quelques verres, mais qui venait d'un angle de la pièce où il n'aurait pas dû y avoir de voix du tout. Ils réussirent à se retourner sans vraiment bouger, comme deux statues pivotant sur leur socle.

Une femme se tenait debout dans les premières lueurs de l'aube. Elle paraissait... elle était... elle avait... pour tout dire, elle...

Plus tard, Rincevent et Deuxfleurs eurent du mal à s'accorder sur le moindre détail à son sujet, sinon qu'ils l'avaient trouvée belle (quelles particularités physiques la rendaient précisément belle, ils furent incapables de le dire) et qu'elle avait les yeux verts. Non pas de ce vert pâle des yeux ordinaires, à vrai dire... plutôt du vert des émeraudes fraîches, et aussi chatoyants qu'une libellule. Or, l'une des rares connaissances de nature authentiquement magique que détenait Rincevent, c'est qu'aucune divinité, aussi contrariante et versatile soit-elle par ailleurs, ne peut changer la couleur ni la nature de ses yeux...

« L... » commença-t-il. Elle leva la main.

« Tu sais que si tu prononces mon nom, il me faudra partir, souffla-t-elle. Tu t'en souviens sûrement ? je suis la seule déesse qui vient uniquement quand on ne l'invoque pas.

— Euh... oui, je pense, croassa le mage en évitant de la regarder dans les yeux. C'est vous qu'on appelle la Dame ?

— Oui.

— Vous êtes une déesse, alors ? fit Deuxfleurs, tout excité. J'ai toujours rêvé d'en voir une. »

Rincevent se raidit, dans l'attente d'une explosion de rage. Mais la Dame se contenta de sourire.

« Ton ami le mage devrait nous présenter », dit-elle.

Rincevent toussa. « Euh… ouais, fit-il. Voici Deux-fleurs, ma Dame, c'est un touriste…

— … que j'ai assisté en certaines occasions…

— … et, Deuxfleurs, voici la Dame. La Dame *tout court*, d'accord ? Rien d'autre. Ne t'avise pas de lui donner un autre nom, vu ? » poursuivit-il désespéré-ment, tandis que ses yeux lançaient des regards élo-quents qui échappèrent complètement au petit homme.

Rincevent frissonna. Il n'était pas athée, bien entendu ; sur le Disque, les dieux ne rigolaient pas avec les athées. Les rares fois où il lui restait un peu de monnaie, il ne manquait jamais de glisser quelques petites pièces dans le tronc d'un temple, n'importe où, partant du principe qu'on a toujours besoin de tous les amis possibles. Mais en général il laissait les dieux tranquilles, dans l'espoir que les dieux lui ficheraient eux aussi la paix. La vie est bien assez compliquée comme ça.

Il y avait pourtant deux divinités vraiment terri-fiantes. À part ces deux-là, les dieux ressemblaient grosso modo à des humains de catégorie supérieure, portés sur le vin, la guerre et la débauche. Mais le Destin et la Dame, eux, faisaient froid dans le dos.

Dans le quartier des Dieux, à Ankh-Morpork, le Destin disposait d'un temple de plomb, petit mais massif, où des adorateurs décharnés aux yeux caves se réunissaient par nuit noire pour se livrer à leurs rites prédestinés et parfaitement absurdes. La Dame, elle, n'avait aucun temple, et pourtant on aurait pu la tenir pour la déesse la plus puissante de toute l'histoire de la Création. Certains des membres les plus hardis de la Guilde des Joueurs avaient une fois voulu lui rendre une espèce de culte, dans les caves les plus profondes du siège de l'association, et tous étaient morts en l'espace d'une semaine, de misère, assassinés ou tout simplement fauchés par la Mort. Elle était la Déesse Qu'On Ne Doit Pas Nommer ; quiconque la cherchait ne la trouvait jamais, pourtant elle avait la réputation de venir en aide à ceux qui en avaient le plus grand besoin. Quoique, là encore, pas toujours. Elle était comme ça. Elle n'aimait pas le cliquetis des rosaires, en revanche elle avait un faible pour celui des dés. Personne ne savait à quoi elle ressemblait, mais il arrivait souvent qu'un joueur misant sa vie sur une partie de cartes ramasse la main qu'on venait de lui distribuer et la contemple face à Face. Évidemment, ça ne se passait pas toujours comme ça. De tous les dieux, elle était à la fois la plus courtisée et la plus maudite.

« Nous n'avons pas de dieux, là d'où je viens, dit Deuxfleurs.

— Mais si, tu sais, fit la Dame. Tout le monde a des dieux. Seulement, vous ignorez que ce sont des dieux. »

Rincevent se secoua mentalement.

« Écoutez, dit-il. Je ne voudrais pas avoir l'air impatient, mais dans quelques minutes des gens vont entrer par cette porte pour nous emmener et nous tuer.

— Oui, dit la Dame.

— J'imagine que vous n'allez pas nous dire pourquoi ? demanda Deuxfleurs.

— Si, fit la Dame. Les Krulliens ont l'intention de lancer un vaisseau de bronze par-dessus le bord

258

du Disque. Leur principal objectif est de connaître le sexe d'A'Tuin, la Tortue du Monde.

— Plutôt futile, on dirait, dit Rincevent.

— Non. Réfléchissez. Un jour, la Grande A'Tuin risque de croiser un autre représentant de l'espèce *chelys galactica*, quelque part dans la nuit infinie où nous nous déplaçons. Se battront-ils ? S'accoupleront-ils ? Avec un peu d'imagination, vous comprendrez l'importance que pourrait avoir pour nous le sexe de la Grande A'Tuin. Du moins, c'est ce que disent les Krulliens. »

Rincevent s'efforça de ne pas imaginer des tortues galactiques en train de s'accoupler. Pas très facile.

« Donc, reprit la déesse, ils ont l'intention de lancer ce navire de l'espace avec deux voyageurs à bord. Ce sera l'apogée de dizaines d'années de recherches. Ce sera aussi très dangereux pour les voyageurs. Aussi, afin de réduire les risques, l'Archiastronome de Krull a négocié avec le Destin le sacrifice de deux hommes au moment du lancement. Le Destin, en retour, accepte de sourire au navire de l'espace. Un marché honnête, non ?

— Et les sacrifiés, c'est nous ? fit Rincevent.

— Oui.

— Je croyais que le Destin n'aimait pas beaucoup ce genre de marchandages. Je le croyais implacable, le Destin.

— En temps normal, oui. Mais vous deux, ça fait un moment que vous lui portez sur le système. Il a bien spécifié qu'on devait vous sacrifier, vous. Il vous a permis d'échapper aux pirates. Il vous a permis d'échouer dans le Périfilet. Le Destin peut être un dieu vicieux, parfois. »

Elle marqua une pause. La grenouille soupira et se rendit sans se presser sous la table.

« Mais vous pouvez nous aider ? souffla Deuxfleurs.

— Vous m'amusez, répondit la Dame. Je suis un peu sentimentale. Vous le sauriez si vous étiez joueurs. Alors j'ai passé un petit moment dans l'esprit d'une grenouille et vous avez eu la gentillesse de me secourir car, nous le savons tous, personne n'aime voir des créatures pathétiques et impuissantes entraînées vers la mort.

— Merci, fit Rincevent.

— Le Destin porte tous ses efforts contre vous, dit la Dame. Mais tout ce que je peux faire, c'est vous donner une chance. Rien qu'une toute petite chance. Le reste dépend de vous. »

Elle disparut.

« Mince, fit Deuxfleurs au bout d'un moment, c'est la première fois que je vois une déesse. »

La porte s'ouvrit brusquement. Garhartra fit irruption en brandissant une baguette devant lui. Deux gardes le suivaient, armés plus classiquement d'épées.

« Ah, fit-il sur le ton de la conversation. Vous êtes prêts, je vois. »

Prêts, répéta une voix dans la tête de Rincevent.

La bouteille que le mage avait jetée quelque huit heures plus tôt continuait de flotter dans les airs, emprisonnée par la magie dans son propre champ temporel. Mais durant toutes ces heures, le mana originel du sortilège s'était lentement dissipé jusqu'à ce que l'énergie magique à l'œuvre ne suffise plus à la soutenir contre le puissant champ de normalité de l'Univers, aussi la Réalité reprit-elle d'un coup ses droits en quelques microsecondes. Concrètement, la bouteille termina soudain sa trajectoire parabolique et s'écrasa sur la tempe du maître hôtelier, aspergeant les gardes d'éclats de verre et de vin de méduse.

Rincevent attrapa le bras de Deuxfleurs, flanqua un coup de pied dans l'entrejambe du garde le plus proche et entraîna le touriste ahuri dans le couloir. Garhartra, assommé, n'avait pas encore touché terre que ses deux hôtes étaient déjà loin et dévoraient les dalles à fond de train.

Rincevent vira en dérapage à un angle du couloir et se retrouva sur un balcon qui bordait les quatre côtés d'une cour intérieure. Presque tout l'espace en dessous était occupé par un bassin ornemental où quelques tortues d'eau douce prenaient le soleil parmi les feuilles de nénuphar.

Et devant Rincevent se tenaient deux mages extrêmement surpris, en robe bleu foncé et noir caractéristique des hydrophobes qualifiés. Le plus vif d'esprit des deux leva la main et attaqua les premiers mots d'un sortilège.

Il y eut un petit bruit bref à côté de Rincevent. Deuxfleurs avait craché. L'hydrophobe glapit et laissa retomber sa main comme si on venait de la lui mordre.

L'autre n'eut pas le temps de bouger, Rincevent était déjà sur lui en moulinant furieusement des poings. Un solide direct assené avec toute l'énergie de la terreur envoya l'homme basculer par-dessus la rambarde du balcon jusque dans le bassin, lequel réagit curieusement : l'eau s'écarta dans un claquement comme si on y avait lâché un ballon invisible, et l'hydrophobe hurlant resta suspendu dans son propre champ de révulsion.

Deuxfleurs le regarda avec stupeur, mais Rincevent lui empoigna l'épaule et indiqua un couloir engageant. Ils s'y précipitèrent sans plus s'occuper du premier hydrophobe qui se tordait par terre en étreignant sa main humide.

Des cris retentirent quelque temps derrière eux, mais ils s'engouffrèrent dans un couloir transversal, puis dans une autre cour, et bientôt les bruits de poursuite se turent. En définitive, Rincevent décida d'ouvrir une porte qui lui parut sûre, passa la tête de l'autre côté, trouva la pièce inoccupée, attira Deuxfleurs à l'intérieur et referma la porte derrière lui. Puis il s'y adossa en soufflant comme un bœuf.

« On est complètement perdus dans un palais, sur une île d'où on n'a aucune chance de partir, dit-il en haletant. Et le pire, c'est qu'on… Hé ! » termina-t-il lorsque l'image de la salle eut fini de remonter ses nerfs optiques détraqués.

Deuxfleurs fixait déjà les murs des yeux.

Car le plus étrange, dans cette salle, c'est qu'elle contenait l'Univers entier.

La Mort, assis dans son jardin, passait une pierre à aiguiser sur le fil de sa faux. La lame était déjà si affûtée que la moindre brise vagabonde qui soufflait dessus se faisait gentiment découper en deux zéphyrs étonnés, quoique les brises s'aventurent rarement dans le jardin silencieux de la Mort. Le bout de terrain s'étendait sur un plateau abrité qui dominait les dimensions complexes du Disque-Monde, et derrière lui se dressaient les montagnes de l'Éternité, froides, immensément hautes, impassibles et méditatives.

Pfuiiit ! faisait la pierre. La Mort fredonnait un chant funèbre et marquait d'un pied osseux le rythme sur le dallage.

Quelqu'un s'approchait par le verger sombre où

poussaient les pommes de nuit, et des lis piétinés exhalèrent leur parfum douceâtre. La Mort leva la tête avec colère et plongea son regard dans des yeux aussi noirs que l'intimité d'un chat, piquetés d'étoiles lointaines sans aucune corrélation avec les constellations classiques de l'univers réel.

La Mort et le Destin se toisèrent. La Mort sourit – il n'avait pas le choix, bien entendu, vu le manque de souplesse de sa constitution osseuse. La pierre à aiguiser chantait en rythme sur la lame tandis qu'il poursuivait son ouvrage.

« J'ai un travail pour toi », dit le Destin. Les mots flottèrent jusqu'à la faux et se fendirent proprement en deux rubans de consonnes et de voyelles.

« J'EN AI ASSEZ POUR AUJOURD'HUI, dit la Mort d'une voix aussi massive que du neutronium. LA PESTE BLANCHE SÉVIT TOUJOURS À PSEUDOPOLIS ET FAUT QUE J'AILLE TIRER UNE PARTIE DES HABITANTS DE SES GRIFFES. ON N'EN A PAS VU DE PAREILLE DEPUIS DES SIÈCLES. ON S'ATTEND À CE QUE JE FASSE MA TOURNÉE, COMME C'EST MON DEVOIR.

— Je faisais allusion au cas du petit voyageur et du mage indigne », souffla le Destin qui s'assit à côté de la forme en robe noire de la Mort et contempla loin en dessous le joyau aux multiples facettes qu'était l'univers du Disque, vu de cette première loge extradimensionnelle.

La faux cessa de chanter.

« Ils vont mourir dans quelques heures, annonça le Destin. Leur sort est réglé. »

La Mort se secoua et la pierre reprit son va-et-vient.

« Je croyais que ça te ferait plaisir », dit le Destin.

La Mort haussa les épaules, un mouvement

particulièrement expressif chez un individu au physique de squelette.

« Je leur ai donné la chasse il y a quelque temps, c'est vrai, fit-il, mais j'ai fini par me dire que tôt ou tard tous les hommes doivent mourir. Toute chose meurt un jour. On peut m'escroquer mais jamais me priver de mon dû, je me suis dit. Pourquoi m'embêter avec ça ?

— Moi non plus, on ne m'échappe pas, lança sèchement le Destin.

— À ce qu'il paraît, fit la Mort, toujours souriant.

— Ça suffit, s'écria le Destin qui bondit sur ses pieds. Ils mourront ! » Il disparut dans une nappe de flammes bleues.

La Mort hocha la tête tout seul et poursuivit son travail. Au bout de quelques minutes, le tranchant de la lame parut le satisfaire. Il se leva, pointa la faux vers la grosse bougie nauséabonde qui brûlait à l'extrémité du banc puis, de deux mouvements circulaires exercés, divisa la flamme en trois tronçons lumineux. La Mort sourit.

Un petit moment plus tard, il sella son étalon blanc qui occupait une écurie à l'arrière de son logis. L'animal s'ébroua en signe d'affection ; malgré ses yeux rouges et ses flancs comme de la soie huilée, c'était un vrai cheval de chair et d'os, sûrement mieux traité à la vérité que la plupart des bêtes de somme du Disque. La Mort n'était pas un mauvais maître. Il ne pesait pas bien lourd, et même s'il revenait souvent avec les fontes pleines à craquer, elles non plus ne pesaient rien.

« Tous ces mondes ! s'exclama Deuxfleurs. C'est fantastique ! »

Rincevent grogna et continua de se déplacer prudemment autour de la salle remplie d'étoiles. Deuxfleurs se tourna vers un astrolabe compliqué au centre duquel se trouvait l'ensemble du système Grande A'Tuin-Éléphants-Disque en cuivre rehaussé de petites pierres précieuses. Tout autour, des étoiles et des planètes tournoyaient sur de délicats fils d'argent.

« Fantastique ! » répéta-t-il. Sur les murs à la ronde, des constellations composées de minuscules semences de perles phosphorescentes parsemaient d'immenses tapisseries de velours noir comme du jais et donnaient aux spectateurs présents l'impression de flotter dans l'abîme interstellaire. Divers chevalets exposaient des croquis démesurés de la Grande A'Tuin vue depuis différents points du Périfilet, lesquels croquis détaillaient méticuleusement chaque écaille gigantesque et chaque cratère qui la grêlait. Deuxfleurs contemplait ce qui l'entourait d'un regard lointain.

Rincevent se sentait profondément troublé. Ce qui le troublait le plus, c'était les deux costumes suspendus à des porte-habits au milieu de la salle. Il en fit le tour avec méfiance.

Ils avaient l'air taillés dans du cuir fin et blanc, harnachés de sangles, de tuyaux de cuivre et autres dispositifs inconnus et louches. Les jambières se terminaient dans des bottes montantes à semelle épaisse, et les bras s'enfonçaient dans de gros gantelets souples. Le plus étrange, c'était les grands casques de cuivre visiblement destinés à s'ajuster sur les épaisses collerettes des tenues. Des casques presque certainement inefficaces pour se protéger : la moindre épée n'aurait eu aucun mal à les fendre en deux, même sans toucher à leur ridicule petite fenêtre vitrée sur le devant. Chaque casque arborait à son sommet une crête de plumes blanches qui n'améliorait en rien son allure générale.

Rincevent sentait venir l'ombre d'un soupçon quant à ces costumes.

Devant eux se dressait une table encombrée de cartes célestes et de bouts de parchemin couverts de chiffres. Ceux qui allaient porter ces tenues, se dit Rincevent, auraient pour mission d'aller explorer de nouveaux mondes étranges, découvrir de nouvelles vies, d'autres civilisations et, au mépris du danger, avancer vers l'inconnu, là où aucun homme – autre qu'un éventuel navigateur malchanceux, ce qui ne comptait pas vraiment – n'était encore allé mépriser le danger ; et davantage qu'un soupçon, il sentit alors venir une horrible prémonition.

Il se retourna et vit Deuxfleurs qui le regardait d'un air songeur.

« Non… » commença Rincevent très vite. Deux-fleurs l'ignora.

« La déesse a dit qu'on allait envoyer deux hommes par-dessus le Bord, fit-il, les yeux brillants, et tu te souviens de ce qu'a raconté le troll Téthis, qu'il fallait une espèce de protection ? Les Krulliens ont résolu le problème. Ces tenues sont des armures *spatiales*.

— Spatiales mais pas très spacieuses, si tu veux mon avis, se dépêcha de répliquer Rincevent qui saisit le touriste par le bras. Alors, si tu veux bien, on s'en va, pas de raison de rester ici…

— Pourquoi faut-il que tu paniques tout le temps ? demanda Deuxfleurs avec irritation.

— Parce que tout le reste de ma vie vient de me défiler sous les yeux, et que ça n'a pas duré très long-temps. Si tu ne te remues pas maintenant, je pars sans toi, parce que d'une seconde à l'autre tu vas proposer d'enfiler… »

La porte s'ouvrit.

Deux solides jeunes gens entrèrent dans la salle. Ils ne portaient rien d'autre qu'un caleçon de laine chacun. L'un d'eux était encore en train de s'essuyer vigoureusement avec une serviette. Ils adressèrent un signe de tête aux deux évadés sans manifester de surprise.

Le plus grand s'assit sur un des bancs devant les sièges. Il fit signe à Rincevent et dit :

« ? Tyø yur åtl hø sooten gåtrunen ? »

Ce qui était gênant : Rincevent avait beau se considérer comme un expert dans la plupart des langues occidentales du Disque, c'était la première fois qu'on s'adressait à lui en krullien, et il n'en comprenait pas un traître mot. Deuxfleurs non plus, d'ailleurs, ce qui ne l'empêcha pas de s'avancer et de prendre une inspiration.

La vitesse de la lumière à travers une aura magique comme celle qui baigne le Disque est assez faible, à peine plus grande que celle du son dans des univers moins finement réglés. Mais c'était tout de même ce qu'on trouvait de plus rapide à l'exception, dans des circonstances de ce genre, du cerveau de Rincevent.

En un instant, il comprit que le touriste allait s'essayer lui aussi à la linguistique, mais à sa façon personnelle : en parlant lentement et fort dans sa propre langue.

Le coude de Rincevent fusa en arrière et coupa le souffle à Deuxfleurs. Lorsque le petit homme leva des yeux douloureux et surpris, Rincevent croisa son regard, tira une langue imaginaire de sa bouche et se la coupa avec une paire de ciseaux fictifs.

Le deuxième chélonaute – car telle était la profession

de ces hommes destinés sous peu à voguer vers la Grande A'Tuin – leva la tête de la table couverte de cartes et suivit la scène avec étonnement. Son grand front héroïque se plissa sous l'effort qu'il déploya pour s'exprimer.

« ? Hør yu latruin nør u ? » fit-il.

Rincevent sourit, opina et poussa Deuxfleurs vers lui. Avec un soupir de soulagement intérieur, il vit le touriste s'intéresser soudain à un gros télescope de cuivre posé sur la table.

« ! Sooten u ! » ordonna le chélonaute assis. Rincevent opina, sourit, prit un des grands casques de cuivre sur le porte-habits et l'abattit de toutes ses forces sur le crâne de l'homme. Le chélonaute bascula en avant avec un grognement étouffé.

L'autre, surpris, n'eut que le temps de faire un pas : Deuxfleurs le frappa, dans un style amateur mais efficace, d'un coup de télescope. Il s'effondra sur son collègue.

Rincevent et Deuxfleurs échangèrent un regard par-dessus le carnage.

« Bon, d'accord ! fit sèchement le mage, conscient d'avoir perdu une espèce d'épreuve sans bien savoir laquelle. Pas la peine de le dire. Là, dehors, on s'attend à voir sortir ces deux gars en tenue dans une minute. Ils ont dû nous prendre pour des esclaves. Aide-moi à les cacher derrière les tentures, et après… et après…

— … on ferait mieux de passer ces costumes, poursuivit Deuxfleurs qui saisit le deuxième casque.

— Oui, fit Rincevent. Tu sais, dès que je les ai vus, j'ai su que je finirais dedans. Ne me demande pas comment je l'ai su… Parce que c'était le pire qui risquait de nous arriver, j'imagine.

— Eh bien, tu l'as dit toi-même, on n'a aucune

chance de s'échapper, répondit Deuxfleurs, la voix étouffée pendant qu'il s'enfilait la moitié supérieure d'une tenue par-dessus la tête. Tout vaut mieux que se faire sacrifier.

— À la première occasion, on fonce, insista Rincevent. Ne te fais pas d'illusions. »

Il enfourna sauvagement un bras dans son costume et se cogna la tête contre le casque. Il songea une seconde que quelqu'un, là-haut, veillait sur lui.

« Merci beaucoup », dit-il, amer.

À l'extrême bord de la ville et du pays de Krull se trouvait un vaste amphithéâtre semi-circulaire en mesure d'accueillir plusieurs dizaines de milliers de spectateurs. L'arène était seulement semi-circulaire pour l'excellente raison qu'elle dominait l'océan de nuages dont les bouillonnements survolaient la Grande Cataracte loin en contrebas, et pour l'heure tous les sièges étaient occupés. La foule commençait d'ailleurs à s'impatienter. Elle était venue voir un double sacrifice ainsi que le lancement d'un grand navire de l'espace en bronze. Aucune des deux attractions n'avait encore eu lieu.

L'Archiastronome fit signe au maître contrôleur du lancement d'approcher.

« Alors ? » demanda-t-il, augmentant ce simple mot à cinq lettres de tout un lexique de colère et de menace. Le maître contrôleur pâlit.

« Aucune nouvelle, seigneur, répondit-il avant d'ajouter avec une vivacité manquant de conviction : Sinon que Votre Proéminence sera ravie d'apprendre que Garhartra a repris connaissance.

« — Voilà un réveil qu'il risque de regretter, dit l'Archiastronome.

— Oui, seigneur.

— Combien de temps nous reste-t-il ? »

Le contrôleur du lancement jeta un coup d'œil au soleil qui montait rapidement.

« Une demi-heure, Votre Proéminence. Ensuite, la rotation du Disque éloignera Krull de la queue de la Grande A'Tuin et *l'Intrépide* sera condamné à disparaître dans les abîmes intertortelliens. J'ai déjà réglé les commandes automatiques, et donc…

— Ça va, ça va, dit l'Archiastronome en lui faisant signe de s'en aller. Le lancement doit avoir lieu. Continuez de surveiller le port, bien entendu. Quand nous aurons remis la main sur ces deux misérables, je prendrai personnellement un grand plaisir à les exécuter moi-même.

— Oui, seigneur. Euh… »

L'Archiastronome fronça les sourcils. « Qu'avez-vous encore à me dire, mon vieux ? »

Le maître contrôleur déglutit. Ce n'était pas juste, il pratiquait la magie et non la diplomatie, en vertu de quoi des petits malins s'étaient arrangés pour que la corvée d'annoncer la nouvelle tombe sur lui.

« Un monstre est sorti de la mer et il s'attaque aux bateaux du port, dit-il. Un messager en arrive à l'instant.

— Un gros monstre ? demanda l'Archiastronome.

— Pas tellement, mais extrêmement féroce, à ce qu'on dit, seigneur. »

Le maître de Krull et du Périfilet réfléchit un instant puis haussa les épaules.

« La mer est pleine de monstres, dit-il. C'est une

de ses principales propriétés. Occupez-vous-en. Et...
maître contrôleur ?

— Seigneur ?

— Si je suis encore contrarié, souvenez-vous que le sacrifice est prévu pour deux personnes. Je peux me sentir en veine de générosité et augmenter ce nombre.

— Oui, seigneur. » Le maître contrôleur détala, soulagé de se soustraire à la vue de l'autocrate.

L'Intrépide, qui n'était plus la coquille de bronze nu dégagée à la masse de son moule quelques jours plus tôt, reposait sur son ber au sommet d'une tour en bois au centre de l'arène. Devant lui, des rails descendaient vers le Bord où, sur quelques mètres, ils remontaient brusquement.

Aux dires de feu Dactylos Yeux d'Or, concepteur de la rampe de lancement ainsi que de *l'Intrépide*, ce dernier détail visait uniquement à empêcher le vaisseau de s'accrocher à des rochers au moment d'amorcer sa longue plongée. Il ne s'agissait peut-être que d'une simple coïncidence, mais à cause de ce petit redressement de la voie ferrée, le vaisseau bondirait comme un saumon et brillerait au soleil dans un au revoir théâtral avant de s'évanouir dans l'océan de nuages.

Une fanfare de trompettes éclata en bordure d'arène. La garde d'honneur des chélonautes apparut sous les acclamations de la foule. Puis les explorateurs en costume blanc émergèrent à leur tour dans la lumière.

L'Archiastronome sentit tout de suite que quelque chose clochait. Les héros, par exemple, se distinguent toujours par un port particulier. Ils ne marchent sûrement pas en canard, et l'un des chélonautes marchait en canard, pas de doute.

Le peuple rassemblé de Krull poussa un rugissement assourdissant. Tandis que les chélonautes et leurs gardes traversaient la grande arène entre les nombreux autels qu'on avait dressés à l'intention des divers mages et prêtres des multiples sectes locales afin d'assurer le succès du lancement, l'Archiastronome fronçait les sourcils. Lorsque le groupe eut franchi la moitié de l'arène, il était parvenu à une conclusion. Lorsque les chélonautes arrivèrent au pied de l'échelle d'accès au vaisseau – ne devinait-on pas chez eux comme une réticence ? – l'Archiastronome s'était levé, ses paroles noyées dans le vacarme de la foule. Son bras se tendit brusquement en arrière, les doigts écartés dans la posture dramatique et traditionnelle du jeteur de sort ; tout passant sachant lire sur les lèvres et au fait des textes classiques de la magie aurait reconnu les paroles préliminaires de la Malédiction Flottante de Vestecake, avant de prudemment prendre la fuite.

L'Archiastronome ne termina pourtant pas l'incantation. Il se retourna avec étonnement en entendant du tapage du côté du grand porche d'entrée de l'arène. Des gardes jaillissaient en courant dans la lumière du jour et jetaient leurs armes pour détaler entre les autels ou sauter d'un bond dans les tribunes par-dessus la rambarde.

Quelque chose émergea derrière eux, et la foule autour de l'entrée interrompit ses acclamations rauques avant de se lancer dans une bousculade silencieuse et décidée pour dégager le passage.

Le quelque chose en question, un dôme trapu d'algues marines, avançait lentement mais avec une sinistre détermination. Un garde surmonta suffisamment son horreur pour se dresser en travers de son chemin et lancer son javelot qui atterrit au beau milieu des algues. La foule poussa des vivats... puis retomba dans un silence de mort lorsque le dôme se précipita en avant et engloutit entièrement le garde.

L'Archiastronome chassa d'un geste sec de la main l'esquisse de la célèbre Malédiction de Vestecake et prononça sans tarder les paroles d'un des plus puissants sortilèges de son répertoire : l'Énigme de la Combustion Infernale.

Des spirales de feu octarine zigzaguèrent entre ses doigts et tout autour tandis qu'il traçait en l'air la rune tarabiscotée du sortilège et la projetait, dans un hurlement de fumée bleue, vers la forme engoémonnée.

S'ensuivit une belle explosion, et une gerbe de feu fusa dans le ciel clair du matin, dispersant au passage des flocons d'algues embrasés. Un nuage de fumée et de vapeur masqua le monstre plusieurs minutes, et lorsqu'il se dissipa, le dôme avait totalement disparu.

Un grand cercle calciné marquait cependant les dalles, dans lequel continuaient de couver quelques touffes de varech et de fucus vésiculeux.

Et au centre du cercle trônait un coffre de bois parfaitement ordinaire, quoiqu'un peu volumineux. Il n'était même pas roussi. De l'autre côté de l'arène, quelqu'un se mit à rire, mais se tut brusquement lorsque le coffre se leva sur des dizaines de ce qui ne pouvait être que des jambes et se retourna pour faire face à l'Archiastronome. Un coffre de bois parfaitement ordinaire, quoiqu'un peu volumineux, ne possède pas de face pour faire face, bien entendu, mais celui-ci faisait bel et bien face. L'Archiastronome le comprit et, de la même façon, eut l'horrible conviction que cette malle tout à fait classique, il ne savait comment, plissait les yeux.

L'objet se mit à marcher d'un pas décidé dans sa direction. L'Archiastronome frémit.

« *Magiciens !* hurla-t-il. *Où sont mes magiciens ?* »

Tout autour de l'arène, des hommes à la figure livide jetèrent un coup d'œil de derrière des autels et de sous des bancs. Un des plus hardis, au vu de l'expression de l'Archiastronome, leva un bras tremblant et risqua un éclair vite fait. L'éclair fila dans un sifflement vers le coffre et le frappa de plein fouet dans une pluie d'étincelles blanches.

Ce fut le signal : chaque magicien, enchanteur et thaumaturge de Krull s'empressa de bondir sur ses pieds et, sous les yeux terrifiés du maître, de jeter le premier sort qui vint à son esprit paniqué. Les charmes fusèrent de partout en sifflant.

Bientôt le coffre disparut une fois de plus aux regards dans un nuage ondoyant de particules magiques qui se gonfla et l'enveloppa de formes sinueuses inquiétantes. Les sorts hurlants se ruaient à la chaîne dans la mêlée. Flammes et éclairs des huit couleurs, aveuglants, fulguraient de la *chose* bouillonnante qui occupait désormais la place de la malle.

Jamais, depuis les Guerres Thaumaturgiques, on n'avait vu autant de magie concentrée dans un espace aussi réduit. Même l'air tremblotait et scintillait. Les sortilèges ricochaient les uns sur les autres, engendrant du même coup des sortilèges éphémères et sauvages dont la vie brève échappait à toute logique et à tout contrôle. Les pierres sous la masse boursouflée commencèrent à se déformer et à se fendre. L'une d'elles, d'ailleurs, se métamorphosa en quelque chose qu'il vaut mieux éviter de décrire et s'éclipsa sournoisement dans quelque sinistre dimension. D'autres effets secondaires insolites commencèrent à se manifester. Une pluie de petits cubes de plomb jaillit de la tourmente pour rouler sur le sol gondolé, et des formes effrayantes lâchèrent des bredouillis obscènes accompagnés de gestes ; des triangles à quatre côtés et des cercles à deux bouts connurent une existence momentanée avant de se fondre à nouveau dans la colonne tonitruante et glapissante de magie brute en furie qui montait des dalles liquéfiées et se propageait au-dessus de Krull. Aucune importance désormais si la plupart des magiciens avaient cessé de jeter leurs sorts et pris la fuite – la *chose* se nourrissait à présent du flot de particules d'octarine, toujours plus dense à proximité du bord du Disque. Dans l'ensemble de l'île de Krull, les activités magiques avortèrent tandis que tout le mana disponible du secteur était aspiré par le nuage, déjà haut de quatre cents mètres, auquel le vent donnait des formes à glacer les sangs ; des hydrophobes sur leurs lentilles au ras de l'océan s'abîmèrent en hurlant dans les vagues, des potions magiques se muèrent en vulgaire eau sale dans leurs fioles, des épées enchantées fondirent et dégoulinèrent de leurs fourreaux.

Mais rien de tout ça n'empêcha le moins du monde la *chose* au pied du nuage, lequel luisait maintenant comme un miroir sous la puissance de la tempête énergétique environnante, de marcher d'un pas régulier vers l'Archiastronome.

Rincevent et Deuxfleurs suivaient la scène avec crainte et respect à la fois, à l'abri de la tour de lancement de *l'Intrépide*, La garde d'honneur avait disparu depuis longtemps en abandonnant ses armes éparpillées derrière elle.

« Eh bien, finit par soupirer Deuxfleurs, ç'en est terminé du Bagage. » Il soupira encore.

« Ne crois pas ça, dit Rincevent. Le poirier savant

est absolument imperméable à toutes les formes de magie connues. Il a été fabriqué pour te suivre partout. Tu vois, quand tu mourras, si tu vas au Paradis, tu auras au moins une paire de chaussettes propres à te mettre dans l'au-delà. Mais moi, je ne tiens pas à mourir tout de suite, alors si on y allait, hein ?

— Où ça ? » demanda Deuxfleurs.

Rincevent ramassa une arbalète et une poignée de carreaux. « Partout ailleurs qu'ici, répondit-il.

— Et le Bagage ?

— Ne t'inquiète pas. Quand la tempête aura épuisé toute la magie disponible du secteur, elle s'arrêtera. »

C'est d'ailleurs ce qui commençait à se produire. Le nuage tourmenté continuait de monter au-dessus de l'arène mais il avait désormais l'air plus léger, inoffensif. Sous les yeux de Deuxfleurs, un tremblement hésitant se mit à le parcourir.

Il ne fut bientôt plus qu'un pâle fantôme. Le Bagage était à présent réapparu, forme trapue au milieu des flammes quasi invisibles. Autour de lui, les pierres qui refroidissaient rapidement commencèrent à se lézarder et à se tordre.

Deuxfleurs appela son Bagage d'une voix douce. Le coffre arrêta sa marche résolue sur les dalles martyrisées et donna l'impression d'écouter attentivement ; puis il déplaça ses dizaines de pieds selon une chorégraphie savante, pivota dans le sens de la longueur et se dirigea vers *l'Intrépide*. Rincevent l'observait d'un air revêche. Le Bagage était d'une nature primaire, totalement dépourvu de cerveau, il avait des réactions homicides envers tout ce qui menaçait son maître, et rien n'assurait que son intérieur occupait le même continuum spatio-temporel que son extérieur.

« Pas une égratignure », se réjouit Deuxfleurs lorsque le coffre se posa devant lui. Il ouvrit le couvercle.

« C'est bien le moment de changer de sous-vêtements ! gronda Rincevent. Dans une minute, tous les gardes et les prêtres vont revenir, et ils l'auront mauvaise, moi, je te le dis !

— De l'eau, murmura Deuxfleurs. Le coffre est rempli d'eau. »

Rincevent jeta un coup d'œil par-dessus son épaule. Il n'y avait aucune trace de vêtements, de sacs d'argent ni d'aucune autre des affaires du touriste. Le coffre était rempli d'eau.

Une vague jaillit de nulle part et passa en clapotant par-dessus le rebord. Elle tomba sur les dalles mais, au lieu de s'étaler, elle prit la forme d'un pied. Un second pied et la moitié inférieure de deux jambes suivirent à mesure que d'autres paquets d'eau débordaient comme pour remplir un moule invisible. Un instant plus tard, Téthis, le troll marin, se tenait devant eux en clignant des yeux.

« Je vois, dit-il enfin. Vous. Rien d'étonnant, j'imagine. »

Il regarda autour de lui, ignorant leurs mines ahuries.

« J'étais là, assis devant ma cabane, et j'admirais le coucher du soleil, quand ce machin est sorti de l'eau en rugissant et m'a avalé, dit-il. J'ai trouvé ça plutôt curieux. On est où, ici ?

— À Krull », répondit Rincevent. Il fixa d'un œil noir le Bagage désormais fermé, lequel parvenait à se donner un air suffisant. C'était une manie chez lui d'avaler des gens, mais quand son couvercle se relevait, on ne voyait rien d'autre à l'intérieur que le linge de Deuxfleurs. Sauvagement, le mage leva en force le couvercle. Il ne vit rien d'autre à l'intérieur que le linge de Deuxfleurs. Parfaitement sec.

« Tiens, tiens, fit Téthis, la tête levée. Hé ! Ce ne serait pas le navire qu'ils vont lancer par-dessus Bord, des fois ? Hein ? Si, sûrement ! »

Une flèche lui traversa la poitrine en laissant une faible ondulation derrière elle. Le troll n'eut pas l'air de s'en apercevoir. Rincevent, si. Des soldats commençaient à se montrer en bordure de l'arène, et de nombreux autres passaient la tête aux entrées.

Une autre flèche ricocha sur la tour derrière Deuxfleurs. À cette distance, les carreaux manquaient de force, mais ce ne serait qu'une question de temps…

« Vite ! fit Deuxfleurs. Dans le vaisseau ! Ils n'oseront pas tirer dessus !

— Je *savais* que tu allais dire ça, gémit Rincevent. Ça, je le *savais !* »

Il décocha un coup de pied au Bagage. Celui-ci recula de quelques centimètres et ouvrit son couvercle d'un air menaçant.

Une lance décrivit une courbe dans le ciel et se planta en vibrant dans l'échafaudage de bois près de l'oreille du mage. Il poussa un cri bref et grimpa tant bien que mal à l'échelle à la suite des autres.

Des flèches sifflèrent tout autour d'eux lorsqu'ils débouchèrent sur la passerelle étroite qui longeait le flanc de *l'Intrépide*. Deuxfleurs menait le train, il trottait comme mû par ce que Rincevent estimait un surcroît d'excitation mal contenue.

Au sommet du vaisseau, en son milieu, se trouvait une grande écoutille de bronze entourée de moraillons. Le troll et le touriste s'agenouillèrent et entreprirent de les tripoter.

Au cœur de l'Intrépide, du sable fin coulait lentement

depuis plusieurs heures dans un godet spécialement conçu à cet effet. Le godet était désormais plein de la quantité précise de sable nécessaire pour basculer et renverser un poids soigneusement posé en équilibre. Le contrepoids s'abaissa et dégagea une cheville d'un petit mécanisme compliqué. Une chaîne se mit en branle. On entendit un clong…

« C'était quoi, ça ? » demanda tout de suite Rincevent. Il baissa les yeux.

La pluie de flèches avait cessé. La foule des prêtres et des soldats, immobile, regardait fixement le vaisseau. Un petit bonhomme inquiet se fraya un chemin à coups de coudes et se mit à crier quelque chose.

« C'était quoi, ça ? demanda à son tour Deuxfleurs, occupé à dévisser un papillon.

— J'ai cru entendre un bruit, expliqua Rincevent. Écoutez, on va les menacer d'abîmer leur machin s'ils ne nous laissent pas partir, d'accord ? On ne fait rien d'autre, d'accord ?

— Ouais », répondit distraitement Deuxfleurs. Il s'assit sur les talons. « Ça y est, dit-il. Ça devrait s'ouvrir, maintenant. »

Un essaim de costauds grimpait à l'échelle du vaisseau. Rincevent reconnut les deux chélonautes parmi eux. Ils portaient des épées.

« Je… » commença-t-il.

Le vaisseau eut une secousse. Puis, avec une lenteur infinie, il commença de rouler sur ses rails.

À cet instant d'horreur noire, Rincevent vit que Deuxfleurs et le troll avaient réussi à soulever l'écoutille. Une échelle métallique plongeait dans la cabine, à l'intérieur. Le troll disparut.

« Faut qu'on descende de là », chuchota Rincevent. Deuxfleurs le regarda, un sourire bizarre et dément aux lèvres.

« Des étoiles, dit le touriste. Des mondes. Bon sang, tout le ciel rempli de mondes. De mondes que personne ne verra jamais. Sauf moi. » Il s'engagea dans l'écoutille.

« T'es complètement cinglé », fit Rincevent, la voix rauque, en s'efforçant de garder l'équilibre tandis que le vaisseau prenait de la vitesse. Il se retourna au moment où l'un des chélonautes tentait de franchir d'un bond l'espace qui séparait *l'Intrépide* de la tour, atterrit sur le flanc bombé du vaisseau, tâtonna un instant à la recherche d'une prise, n'en trouva pas et chuta en criant.

L'Intrépide filait à bonne allure maintenant. Par-dessus la tête de Deuxfleurs, Rincevent voyait la mer de nuages éclairée par le soleil et l'incroyable Arc-en-Bord qui flottait au-delà, engageant, l'air d'inviter les inconscients à s'aventurer trop loin…

Il vit aussi un groupe d'hommes gravir désespérément la partie basse de la rampe de lancement et manutentionner avec frénésie une grosse bille de bois jusque sur la voie, dans l'espoir de faire dérailler le vaisseau avant sa disparition par-dessus Bord. Les roues percutèrent la bille de bois, en conséquence de quoi le vaisseau tangua, Deuxfleurs lâcha sa prise sur l'échelle pour tomber dans la cabine, et l'écoutille se rabattit dans un claquement suivi des cliquetis horribles d'une douzaine de petits moraillons qui se remettaient en place. Rincevent plongea en avant et les tripota en gémissant.

La mer de nuages s'approchait vite à présent. Le

Bord lui-même, limite rocheuse de l'arène, était étonnamment près.

Rincevent se releva. Il n'y avait désormais plus qu'une seule chose à faire, et il la fit : il paniqua complètement à l'instant précis où les roues du vaisseau attaquaient la petite remontée et le projetaient, étincelant comme un saumon, dans le ciel et par-dessus Bord.

Quelques secondes plus tard éclata un crépitement de petits pieds : le Bagage franchit le bord du monde, continua d'actionner résolument ses jambes et plongea dans l'Univers.

LA FIN

Rincevent se réveilla et frissonna. Il crevait de froid.

Alors, c'est ça, songea-t-il. Quand on meurt, on se retrouve dans une région humide, brumeuse et d'un froid glacial. L'Hadès, où les âmes éplorées des morts défilent à jamais dans les marécages désolés, feux follets funèbres qui papillotent dans le… Une minute…

L'Hadès n'était quand même pas à ce point dépourvu de confort ? Et Rincevent trouvait que sa position en manquait vraiment, de confort. Il avait mal au dos là où une branche le comprimait, mal aux jambes et aux bras là où des rameaux les avaient écorchés et, à en juger par la douleur de son crâne, il s'était dernièrement cogné sur quelque chose de dur. Si c'était ça, l'Hadès, c'était vraiment l'enfer… Une minute…

Arbre. Le mot émergea à la surface de son esprit et il se concentra dessus, un exploit inattendu vu le bourdonnement qui lui emplissait les oreilles et les éclairs qui lui passaient devant les yeux. Arbre. Machin en bois. C'était ça. Branches, rameaux et le reste. Et Rincevent, affalé dedans. Arbre. Tout mouillé. Un nuage blanc et glacé tout autour. Et aussi en dessous. Alors ça, c'était bizarre.

Il était vivant et gisait, couvert de contusions, dans

un petit arbre épineux qui avait poussé dans la crevasse d'un rocher en saillie au milieu de la muraille blanche et écumante de la Grande Cataracte. Cette découverte le frappa à la manière d'un marteau glacé. Il frémit. L'arbre craqua en guise d'avertissement.

Quelque chose de bleu et de flou passa en flèche devant lui, plongea brièvement dans les eaux grondantes et revint en vrombissant se poser sur une branche près de sa tête. Un petit oiseau à la huppe bleu et vert. Il avala le petit poisson argenté qu'il avait cueilli dans la Cataracte et regarda le mage avec curiosité.

Rincevent s'aperçut qu'il y avait beaucoup d'oiseaux semblables dans le coin.

Ils volaient sur place, fusaient et crevaient sans peine le plan d'eau vertical ; de temps en temps l'un d'eux faisait jaillir un nouveau panache d'embruns lorsqu'il arrachait une autre victime à la Cataracte. Plusieurs étaient perchés dans l'arbre. Ils chatoyaient comme des pierres précieuses. Rincevent était en extase.

Il était en fait le premier homme à voir les bordins-pêcheurs, ces toutes petites créatures qui avaient depuis longtemps développé un mode de vie parfaitement original, même pour le Disque. Bien avant que les Krulliens aient installé leur Périfilet, les bordins-pêcheurs avaient mis au point leur propre système de surveillance autour du bord du monde pour assurer leur subsistance.

Rincevent n'avait pas l'air de les gêner. Dans un éclair qui lui donna le frisson, il se vit passer le restant de ses jours dans cet arbre, à vivre d'oiseaux et de poissons crus attrapés au vol.

L'arbre bougeait, pas de doute. Le mage laissa échapper un gémissement en se sentant glisser en arrière, mais il réussit à s'accrocher à une branche. Seulement, tôt ou tard, il finirait par s'endormir…

Un subtil changement s'opéra dans le décor, le ciel se teinta de violet. Une grande silhouette en cape noire se tenait debout dans le vide à côté de l'arbre. Elle avait une faux à la main. Son visage se dissimulait dans l'ombre d'un capuchon.

« JE VIENS TE CHERCHER », dit la bouche invisible aux accents aussi lourds que les battements de cœur d'une baleine.

Le tronc de l'arbre émit un nouveau craquement de protestation, et un caillou rebondit sur le casque de Rincevent lorsqu'une racine s'arracha du rocher.

La Mort vient toujours en personne moissonner l'âme des mages.

« Je vais mourir de quoi ? » demanda Rincevent.

La grande silhouette hésita.

« PARDON ? fit-elle.

— Ben, je ne me suis rien cassé et je ne me suis pas noyé, alors je vais mourir de quoi ? On ne peut pas se faire tuer comme ça par la Mort, il faut forcément une raison », dit Rincevent. À son grand étonnement, il ne se sentait plus terrifié. Car, sans doute pour la première fois de sa vie, il n'avait pas peur. Hélas, cette impression ne semblait pas vouloir durer longtemps.

La Mort tenait visiblement une réponse.

« TU POURRAIS MOURIR D'ÉPOUVANTE », psalmodia le capuchon. La voix rappelait encore le tombeau mais un léger tremblement trahissait l'incertitude.

« Ça ne marchera pas, répliqua Rincevent d'un air suffisant.

— IL NE FAUT PAS FORCÉMENT UNE RAISON, dit la Mort. JE PEUX TE TUER SANS ÇA.

— Hé, vous n'avez pas le droit ! Ce serait un meurtre ! »

La silhouette enchaperonnée soupira et repoussa son

capuchon. Au lieu de la tête de mort ricanante que Rincevent s'attendait à voir, il se retrouva face à la figure pâle et légèrement transparente d'une espèce de démon plutôt soucieux.

« Je ne fais pas du très bon boulot, hein ? fit-il d'un ton las.

— Mais vous n'êtes pas la Mort ! Qui êtes-vous ? s'écria Rincevent.

— Scrofule.

— *Scrofule ?*

— La Mort n'a pas pu venir, expliqua le démon, piteux. Il y a la peste à Pseudopolis, une grosse. Il a dû y aller faire sa tournée. Du coup, il m'a envoyé à sa place.

— Personne ne meurt de scrofule ! J'ai des droits. Je suis mage, moi !

— D'accord, d'accord. C'était la chance de ma vie, dit Scrofule. Mais posons le problème autrement : si je vous donne un coup de cette faux, vous y passerez aussi bien que si c'était la Mort qui le faisait. Qui verra la différence ?

— Moi ! fit sèchement Rincevent.

— Sûrement pas. Vous serez mort, répliqua Scrofule avec logique.

— Fous-moi le camp.

— C'est bien joli, tout ça, dit le démon en levant sa faux, mais mettez-vous un instant à ma place ! Ce travail représente beaucoup pour moi, et reconnaissez que votre vie n'est pas tellement folichonne. La réincarnation, ce serait forcément une amélioration… hou-là ! »

Sa main vola vers sa bouche, mais Rincevent pointait déjà un doigt tremblant sur lui. « La réincarnation ! fit-il, tout excité. Alors, c'est donc vrai ce que racontent les mystiques !

— Je ne répondrai pas à ça, dit Scrofule avec

285

humeur. Ma langue a fourché. Bon... vous allez mourir de votre plein gré, oui ou non ?

— Non, répondit Rincevent.

— Comme vous voulez », répliqua le démon. Il leva sa faux. Elle s'abattit en sifflant, un vrai coup de professionnel, mais Rincevent n'était plus là. Pour tout dire, il se trouvait quelque mètres plus bas, et la distance ne cessait de grandir parce que la branche avait choisi cet instant pour se briser net et l'envoyer poursuivre son voyage interrompu vers les abîmes interstellaires.

« Revenez ! » cria le démon.

Le mage ne répondit pas. Il chutait à plat ventre dans l'air qui se ruait à sa rencontre, les yeux fixés sur les nuages. Lesquels s'éclaircirent soudain.

Et disparurent.

En dessous, l'ensemble de l'Univers clignotait à l'intention de Rincevent. Il y avait la Grande A'Tuin, gigantesque, massive et grêlée de cratères. Il y avait la petite lune du Disque. Il y avait une lueur lointaine qui ne pouvait être que *l'Intrépide*. Et toutes les étoiles, qui ressemblaient étonnamment à de la poussière de diamant répandue sur du velours noir, les étoiles aguicheuses qui finissaient par inviter les plus audacieux...

La Création tout entière attendait la visite de Rincevent, qu'il fasse un saut chez elle.

Il le faisait, ça tombait bien.

Il n'avait guère le choix.

AINSI PREND FIN
« LA HUITIÈME COULEUR »,
PREMIER LIVRE DES
ANNALES DU DISQUE-MONDE

TABLE DES MATIÈRES

Composé par Nord Compo
à Villeneuve-d'Ascq (Nord)

Imprimé en France par

MAURY IMPRIMEUR
à Malesherbes (Loiret)
en décembre 2016

POCKET – 12, avenue d'Italie – 75627 Paris Cedex 13

N° d'impression : 213752
Dépôt légal : octobre 1997
Suite du premier tirage : décembre 2016
S21181/07